Benjamen
Bergeron

Groupe: 160

Barnabé la Berlue

Le réveil du dragon

Données de catalogage avant publication (Canada)

Deschênes, Josseline
  Barnabé la berlue

(Pour lire avec toi)
Pour enfants.

ISBN 2-7625-4473-4

I. Langlois, Suzanne. II. Titre. III. Collection.

PS8557.E82B37 1988   jC843'.54   C88-096354-9
PS9557.E82B37 1988
PZ23.D47Ba 1988

Conception graphique de la couverture: Martin Dufour
Illustrations: Suzanne Langlois

Dépôts légaux: 3e trimestre 1988
Bibliothèque nationale du Québec
Bibliothèque nationale du Canada

ISBN: 2-7625-4473-4   Imprimé au Canada

LES ÉDITIONS HÉRITAGE INC.
300, Arran, Saint-Lambert (Québec) J4R 1K5
(514) 672-6710

Barnabé la Berlue

Le réveil du dragon

JOSSELINE DESCHÊNES

Illustrations:

SUZANNE LANGLOIS

ÉDITIONS HÉRITAGE
MONTRÉAL

CHAPITRE 1

LA CARTE DU CORSAIRE

Les grandes mouettes volent au-dessus de Percé, en Gaspésie, à l'aurore de ce 30 mai. Elles filent toutes à la rencontre d'une petite chaloupe à moteur qui arrive du large.

— Barnabé rentre de l'Île Bonaventure! crie un des pêcheurs rassemblés sur le quai.

Il y a beaucoup de va-et-vient à cette heure pourtant matinale, car les pêcheurs se préparent à partir en mer. Ils vont remonter les cages à homards.

— Je suppose que Barnabé va encore nous raconter une autre histoire à dormir debout! lance le grand Albert, grand fouineur et grand taquin.

— Barnabé a la berlue, moi je vous le dis! grogne le capitaine François, un vieux bourru, mais fameux pêcheur. Je l'ai connu enfant, le Barnabé, continue-t-il. À dix ans, il nous a fait passer des nuits à guetter des feux follets sur le Cap! On n'a jamais rien vu!

— C'est comme pour moi, reprend le grand Albert, un soir, il m'a mené en mer pour voir passer un bateau fantôme. Je n'ai vu ni fantôme, ni bateau, mais j'ai attrapé une grippe terrible!

— Un de ces quatre matins, un fantôme va lui tirer les oreilles . . . si jamais les fantômes existent, remarque en riant le capitaine François.

Les pêcheurs éclatent de rire: "Ha, ha, ha!"

Dans un des petits bateaux amarrés au quai, un grand jeune homme blond lève quelquefois ses yeux bleus sur les rieurs. C'est Alexis, surnommé le Dégourdi, réputé pour sa débrouillardise, son sang-froid et sa bonne humeur. Il est marié à la belle Rosalie, une fille du village. Beau temps, mauvais temps, elle part à la pêche avec son Alexis. Ces derniers jours, Rosalie est restée à la maison car elle attend un bébé pour très bientôt.

Entendant rire les pêcheurs aux dépens de Barnabé, Alexis monte sur le quai. Il s'avance vers eux et leur dit:

— Je vous écoute depuis un moment! C'est vrai que Barnabé est différent de tout le monde, mais en connaissez-vous un autre qui sache raconter des histoires et des légendes et chanter comme lui dans les soirées?

— Ça c'est vrai, mon gars! admet le capitaine

François. Barnabé n'a pas son pareil pour animer une fête ou un mariage. Mais des fois, il faut admettre qu'il a un peu la berlue!

Alexis ne répond pas. Il regarde le ciel et la mer.

— On aura du beau temps les jours qui viennent! annonce-t-il.

Le capitaine tire sur sa pipe, lance un rond de fumée et donne raison à Alexis par un "Ouais!" qui en dit long.

C'est à ce moment que la chaloupe de Barnabé atteint le rivage. Le jeune homme soulève le moteur de son embarcation, le bascule, saute à l'eau et hale sa chaloupe sur les galets. C'est un jeune gars d'une vingtaine d'années, au visage rond et rieur. Il a des yeux couleur de mer, entre le vert et le gris. Ses cheveux roux et bouclés flambent dans le soleil matinal. Il se tourne vers le quai en criant:

— Alexis! Alexis! Hé, Alexis!

Puis, sans attendre la réponse, il se penche à l'intérieur de sa chaloupe et en retire une boîte rouillée. Il remonte la plage en courant vers le quai, la boîte sous le bras. Les marins le regardent venir en se faisant des clins d'oeil malicieux.

— Qu'est-ce que tu tiens comme ça, Barnabé? dit l'un deux.

— As-tu trouvé un trésor sur l'île? demande le grand Albert.

Barnabé se met à rire. Les taquineries ne le touchent pas. Tout le monde aime à plaisanter.

— Bien non! répond-il. Vous savez bien que les histoires de trésors, c'est pour les enfants!

Alexis s'avance vers lui à grands pas.

— Salut, mon Barnabé! Tu es matinal, ce matin. Viens-tu m'aider à lever les cages?

— Salut, Alexis! Je viens t'aider, c'est ça!

Ils s'affairent aux derniers préparatifs et, quelques minutes plus tard, ils quittent le quai. Barnabé jette sans cesse des regards vers le rivage, tout en serrant contre lui le petit coffret de métal.

Alexis l'observe un moment et lui demande enfin:

— C'est ta boîte à lunch que tu tiens comme ça? Tu peux la poser, je ne vais pas te la prendre!

— Ce n'est pas ça! répond Barnabé à voix basse. Je t'expliquerai lorsque nous serons plus loin. Je ne veux pas qu'on nous entende!

Le bateau glisse sur la mer poussé par le petit

moteur pétaradant. Alexis longe la côte, puis il contourne le Cap Blanc à bonne distance. Il ne pose pas de questions. Il n'est pas curieux. Il attend que Barnabé se décide à lui faire des confidences. Finalement, celui-ci se lève et vient s'asseoir près d'Alexis. Il lui tend la mystérieuse boîte rongée par la rouille. Son compagnon la prend, la tourne et l'examine soigneusement.

— Tu as trouvé ça sur l'île?

— Oui. Ouvre-la! dit Barnabé.

Alexis ouvre la boîte. Un rouleau de papier jauni apparaît à l'intérieur.

— Qu'est-ce que c'est? demande Alexis, étonné.

— Ça, mon ami, c'est une carte! explique fièrement Barnabé. La carte indiquant la cachette d'un trésor.

— Barnabé! lui reproche Alexis, pas encore une histoire de trésor? Je vais finir par croire que tu as vraiment la berlue!

— Cette fois, je n'ai pas la berlue. Il y a des mois que je cherche ce plan. As-tu déjà entendu parler du corsaire Pierre Duval?

— Connais pas! réplique Alexis, en regardant Barnabé d'un air à la fois intéressé et méfiant.

11

— Je vais te raconter... Pierre Duval habitait l'Île de Bonaventure dans les années 1800. Il était originaire de l'Île de Jersey, une île anglaise dans la Manche. Ce corsaire donna bien du mal aux navires marchands français pendant les guerres entre la France et l'Angleterre, au temps de l'empereur Napoléon. Il écuma les mers pendant bien des années. Il est enterré ici à Percé.

— Eh bien, Barnabé, tu es un vrai puits de science! s'exclame Alexis. Mais comment as-tu appris que ce corsaire avait un trésor et que la carte de sa cachette se trouvait sur l'île?

— Je ne l'ai pas appris, Alexis, j'y ai pensé tout seul! répond le futé Barnabé en se frappant le front de l'index droit. Je me suis dit que ce corsaire-là avait dû ramasser une fortune en attaquant les navires français. J'ai déduit qu'il avait caché son trésor loin de l'île pour le protéger des voleurs. Un trésor caché veut dire: une carte! J'ai cherché et j'ai trouvé!

Alexis le Dégourdi regarde son ami avec respect. "Ce Barnabé, tout de même, ce qu'il est intelligent!" pense-t-il.

— Mais enfin, qu'est-ce qu'elle montre ta carte?

— Regarde! dit Barnabé, déroulant délicatement le vieux parchemin.

Sous les yeux des deux jeunes gens s'étale une carte ancienne. Alexis y reconnaît la pointe de la péninsule gaspésienne et la Baie des Chaleurs. Partout, il y a des signes bizarres, des noms en langue inconnue. Tout y est délavé par le temps.

— Où est-il ton trésor . . . je veux dire le trésor du capitaine?

— Ici! pointe fièrement Barnabé en désignant un endroit sur la côte québécoise de la Baie des Chaleurs.

— Alexis plisse les yeux pour mieux distinguer un mot écrit en rouge. Il prononce avec difficulté:

— M-e-g-u-e-k S-h-a-w-k! Qu'est-ce que cette langue?

— C'est du Micmac, Alexis! Cela signifie: "longtemps rouge". Le trésor est là! déclare Barnabé, non sans un brin d'émotion dans la voix.

— "Longtemps rouge", ce n'est pas un nom de village! fait remarquer Alexis en regardant la carte avec de plus en plus d'intérêt.

Il y découvre soudain un texte étrange à peine lisible, qu'il se met à déchiffrer à haute voix:

Sous le pic aventureux
Le griffon chatouilleux
Brillant de mille feux
Rendra le trésor fabuleux!

13

— Qu'est-ce que ça veut dire? C'est du charabia tout ça! s'exclame Alexis.

— Mais non, c'est un code! Une charade! La clé du trésor, si l'on veut! tente d'expliquer Barnabé.

— Mais où est-il ce trésor? s'impatiente Alexis, qui n'y comprend toujours rien.

— Je vais te le dire, parce que tu es mon ami. Mais avant, j'ai une proposition à te faire.

— Je t'écoute! fait Alexis avec un peu de méfiance.

— Que dirais-tu, mon ami, si je t'offrais la moitié du trésor?

— Je dirais que tu rêves en couleur, Barnabé! Tu n'as rien trouvé encore!

— *Nous* n'avons rien trouvé, Alexis!

— Pourquoi dis-tu *nous*?

— Parce que nous partagerons le trésor que nous aurons trouvé, tous les deux! Qu'en dis-tu?

— Je te dis, Barnabé, que je n'ai pas le temps d'aller à la chasse au trésor! Je te dis, Barnabé, que je dois remonter mes cages à homards! Voilà, Barnabé, ce que je te dis!

14

— Te rends-tu compte, Alexis, que tu refuses la fortune? Tu ne peux priver Rosalie et tes futurs enfants d'un trésor fabuleux!

— Je suis un simple pêcheur, riposte Alexis. Je ne suis pas équipé pour trouver des trésors!

— Tu as un bon bateau, insiste Barnabé. Ce n'est qu'un aller et retour! Le trésor se trouve dans le fond de la Baie. Tu ne peux pas refuser! Je t'offre l'aventure de ta vie et tu me parles de cages à homards!

Alexis écoute son ami. Il voit Barnabé s'agiter, faire de grands gestes. "Peut-être a-t-il raison?" se dit-il avec une certaine hésitation.

— Si on ne trouve rien? insinue Alexis.

— Si on ne trouve rien, assure Barnabé la main sur le coeur, je travaillerai pour toi gratuitement. Je te le promets! Mais entre nous, je suis certain que nous trouverons le trésor! Alors, tu acceptes?

— Bien . . . oui! J'accepte, Barnabé! Nous partirons demain à l'aube. Maintenant, dis-moi le nom de l'endroit où est caché ce mystérieux trésor.

— Miguasha. Dans la falaise de Miguasha. Le trésor est là, ou je ne m'appelle pas Barnabé la Berlue!

CHAPITRE 2

LES PRÉPARATIFS

Lorsque Barnabé et Alexis rentrent à Percé quelques heures plus tard, ils filent directement chez Alexis, afin de mettre Rosalie au courant de leur projet.

— Je partirais bien avec vous! conclut la jeune femme.

— Rosalie, tu es merveilleuse! s'exclament d'une même voix les deux amis.

— La seule chose que je te demande, dit Rosalie à son mari, c'est d'être de retour pour la naissance du bébé!

— C'est un aller et retour! affirme Alexis en embrassant Rosalie sur sa joue douce et rose.

— C'est comme si nous étions déjà revenus! reprend Barnabé.

L'atmosphère est à la joie. Tous les trois préparent l'expédition avec enthousiasme. Il faut des pics, des pelles, une carte marine, de la nourriture. La soirée passe à faire des projets d'avenir. Barnabé raconte ses meilleures histoires de corsaires et de trésors cachés . . .

Ils descendent au quai pour une promenade. Les enfants chahutent avec Barnabé. Alors qu'Alexis inspecte son bateau, Rosalie croit voir dans le couchant un grand trois-mâts aux voiles d'or.

Cette nuit-là est bien longue pour les deux aventuriers, qui rêvent tout éveillés. Finalement, à quatre heures du matin, ils quittent la maison chargés de sacs et d'outils et descendent la rue principale quasiment sur la pointe des pieds. Ils appareillent, surveillés seulement par des mouettes à moitié endormies.

— Nous allons longer la côte à bonne distance jusqu'à Paspébiac, annonce Alexis. Ensuite, nous piquerons à travers le baie jusqu'à Miguasha!

— C'est toi, le capitaine. Tu connais ton affaire. Je te fais confiance, dit Barnabé.

La mer est calme, le beau temps est au rendez-vous! Le ciel s'éclaire de plus en plus. Le soleil pointe un rayon doré. Au loin, le mont Sainte-Anne veille sur Percé et ses maisons blanches; la longue silhouette du Rocher se détache dans le rose du firmament. Les deux amis contemplent un

18

instant l'impressionnante beauté de leur village. Puis ils se tournent vers le large. L'aventure est là-bas, devant!

CHAPITRE 3

LA CHASSE AU TRÉSOR

La matinée s'écoule radieuse sous le soleil. Les villages de la côte défilent au rythme du petit bateau. Alexis et Barnabé cassent la croûte et font tour à tour une petite sieste.

— On sera à Miguasha vers la fin de l'après-midi! dit Alexis après un coup d'oeil sur la carte et sa montre.

Les villages de New Carlisle, Caplan et Carleton se profilent les uns après les autres le long de la Baie des Chaleurs. Le bateau garde le cap sur Miguasha. Vers la fin de l'après-midi, la grande falaise rougeâtre se découpe sur le bleu du ciel. Alexis et Barnabé ouvrent des yeux émerveillés.

— C'est là! là! Lala . . . la! chante Barnabé. Notre trésor est là!

— Minute, Barnabé! tempère Alexis. Nous avons la carte, nous voyons la falaise, mais nous n'avons encore rien trouvé! Il faut aborder quelque part.

21

Cette falaise ne me semble pas très appropriée pour l'accostage. Nous allons approcher prudemment et essayer de trouver une petite anse avec un bout de plage.

Barnabé a déroulé la carte du corsaire en se disant qu'il devait sûrement y avoir une indication à ce sujet.

— Alexis! s'écrie-t-il en lui tendant la carte, regarde la flèche à la pointe de la péninsule. C'est peut-être intéressant pour toi?

Alexis se penche quelques instants sur le plan chiffonné et sourit. Puis il dirige son bateau vers la falaise avec précaution pour éviter les récifs possibles.

— Mon Dieu, que c'est haut! s'exclame Barnabé, le nez en l'air et le cou tordu.

La falaise vue de près se dresse comme un mur sans fin. Les yeux perçants d'Alexis ont repéré une petite crique et le pêcheur y fait entrer son bateau.

— Nous allons jeter l'ancre et transporter nos affaires sur la plage, décide Alexis.

Les deux copains sautent à l'eau.

— Brrr! fait Barnabé pour tout commentaire.

— L'aventure commence ici, marin d'eau douce, lance Alexis d'un ton moqueur.

Quelques aller et retour suffisent à débarquer pics, pelles et bagages. Alexis et Barnabé se font sécher quelques minutes au soleil.

— Bon, allons-y!

Alexis le Dégourdi vient de sauter sur ses pieds et, saisissant un pic, il lève la tête vers la mystérieuse et inaccessible falaise.

— Sors ta carte au trésor, Barnabé! Montre-moi où nous allons. J'espère qu'il ne faudra pas monter là-haut. J'ai le pied marin, mais à cinq mètres, j'ai le vertige!

— Voyons, Alexis! Le corsaire n'a pas caché son trésor à flanc de montagne! Nous allons longer la falaise jusqu'à l'endroit marqué d'un cercle rouge sur la carte.

— Faudra se dépêcher, la marée monte à cette heure-ci! remarque Alexis en regardant clapoter les vagues.

Ils partent le long des rochers à fleur d'eau. La marche n'est pas facile, mais Barnabé et Alexis sont habitués depuis l'enfance aux promenades sur les rochers glissants des bords de mer. Barnabé observe chaque détail dans le flanc de la falaise qu'ils frôlent maintenant. Tout à coup, il aperçoit comme un petit enfoncement dans le roc: c'est l'entrée d'une grotte et un bout de plage minuscule.

— C'est ici! crie Barnabé. Je suis certain que c'est ici! Le trésor est caché là-dedans! Youpi!

Quelques cailloux lui dégringolent sur la tête. La falaise n'aime pas qu'on vienne troubler sa paix par des cris.

— Chut! fait Alexis, tu vas nous faire tomber toute la montagne sur la tête! Mais comment es-tu certain que c'est ici?

— Je le sais! murmure Barnabé en plantant son pic et sa pelle dans les galets.

Puis il se met à danser comme un fou. Alexis l'observe quelques instants puis, l'arrêtant tout net par le bras, il lui demande:

— Où creuse-t-on?

— Ici ... là ... partout! répond Barnabé, tout excité, en donnant des coups de pic à droite et à gauche.

Alexis le regarde, songeur. "Nous aurons bien de la chance si nous trouvons quelque chose!" pense-t-il. Il se met tout de même au travail sérieuse-ment, car la marée aura tôt fait de les chasser.

Les deux jeunes gens creusent un trou, deux trous, dix trous à la base de la falaise. Rien! Le temps passe. Alexis scrute la mer avec inquiétude. Il faudra retourner au bateau très bientôt. Tout à coup, Barnabé pousse un cri. Sous son pic, quelque chose de doré apparaît.

— Le trésor! Le trésor!

Alexis s'approche. Tous deux tentent de dégager le drôle d'objet. Plus ils enlèvent de cailloux, plus la chose ressemble à une griffe. Une griffe énorme!

— "Sous le pic aventureux . . . le griffon chatouilleux . . ." se met à réciter Barnabé. Nous avons retrouvé le trésor du corsaire!

— Je me demande bien pourquoi le mot "chatouilleux", remarque Alexis.

— Pour la rime, voyons! répond Barnabé, ennuyé par tant d'ignorance.

Alexis se tait. La réponse de Barnabé le laisse insatisfait. "La rime! la rime! Et puis c'est quoi une rime?" se demande-t-il en continuant à faire voler en éclats les morceaux de roc qui entourent la griffe d'or. Comme il va poser la question à Barnabé, celui-ci pousse un sifflement admiratif. Leur trésor brille au soleil. Il mesure au moins un mètre de long.

— Tiens! il y a quelque chose d'autre qui brille plus haut! constate Alexis.

Il reprend son pic et frappe un grand coup. À ce moment précis, un grondement énorme les fait reculer, terrifiés. Le sol se met à bouger faiblement sous leurs pieds.

— Qu'est-ce que c'est? s'écrie Alexis.

— Je n'en sais rien! balbutie Barnabé en laissant tomber son pic.

— C'est un tremblement de terre! Filons! hurle Alexis en lançant sa pelle.

— Mais... le trésor! Le tré... tré... bégaye désespérément Barnabé.

— Laisse le trésor où il est! Au bateau! C'est un ordre du capitaine! rugit Alexis.

Sans plus tarder, il s'élance sur le chemin du retour, suivi de Barnabé. Les pierres sur lesquelles ils prennent appui continuent à bouger. Ils manquent de tomber à l'eau à plusieurs reprises. Le grondement s'amplifie. À bout de souffle, Alexis et Barnabé débouchent sur la minuscule plage presque envahie par la marée montante. Ils y abandonnent leurs bagages et se jettent à l'eau pour rejoindre le bateau, qui danse sur la mer agitée.

En moins de temps qu'il ne faut pour le dire, ils plongent dans le fond de l'embarcation, épuisés et trempés. Au-dessus d'eux, la falaise bouge lentement. Alexis bondit et fait démarrer le moteur à pleins gaz. Le bateau ne bouge pas. Barnabé, affolé, jette un regard vers la montagne.

— L'ancre! tonne Alexis.

Dans leur énervement, ils ont oublié de remonter l'ancre. Jamais, de mémoire d'homme, on n'a vu ancre de bateau remonter plus vite que cette fois-là. On peut enfin s'arracher de cet endroit dangereux et filer vers le large.

— Ouf! soupire Alexis quand un rugissement le fait sursauter.

Devant lui, le visage de Barnabé vire au vert. Alexis se retourne vers la falaise, où quelque chose d'incroyable est en train de se produire ...

CHAPITRE 4

LE GRAND MIGUASHA

La falaise de Miguasha frémit. Elle se déploie, se soulève. Un long cou surgit à travers le roc rouge. Ce cou est surmonté d'une tête ronde qui se balance en grognant. Puis la falaise s'ouvre largement et la bête arrondit son énorme dos, alors qu'une longue queue, comme surgie des entrailles de la montagne, claque avec fracas sur la plage. Le monstre se tient maintenant immobile devant la falaise qui l'a libéré. Il lève une courte patte, terminée par trois énormes griffes qui brillent comme de l'or au soleil.

— Alexis! Tu as... tu as... vu! balbutie Barnabé.

Alexis, la bouche ouverte d'étonnement, regarde, incrédule, la bête se mettre en marche vers eux. Barnabé s'affaisse alors lentement dans le fond du bateau. "Le griffon chatouilleux", se rappelle Alexis. Pour être chatouilleux, ça, il l'est! Pauvre Barnabé! Quel trésor avons-nous trouvé là?" murmure-t-il.

Le bateau s'éloigne de la rive de Miguasha, mais la bête s'avance dans la mer à leur poursuite. Son grognement rauque remplit les oreilles d'Alexis. Ce sont des râlements bizarres où le jeune homme finit par y distinguer des mots:

— Grrr! Qui m'a réveillé? Grrr! Qui m'a chatouillé? Grrr!

— C'est pas possible, je dois rêver! s'exclame Alexis en se pinçant. Un monstre qui parle!

La queue du monstre s'abat sur la mer, faisant jaillir une trombe d'eau qui retombe en averse sur le bateau et réveille Barnabé de son évanouissement.

— Il pleut? s'étonne-t-il en se relevant.

— Te voilà mieux, mon Barnabé? Tant mieux! Comme tu es un connaisseur en fantômes, monstres et autres phénomènes étranges, peux-tu m'expliquer celui-ci? Surtout, Barnabé, ne retombe pas dans les pommes!

— Grrr! Qui m'a délivré? Grrr! Que vois-je? Grrr!

L'énorme animal abaisse son long cou au ras de la mer et promène sa tête dans tous les sens à la recherche des importuns.

— Attention! crie Alexis. Le voilà qui vient sur nous!

Barnabé, comme hypnotisé, regarde la grosse tête s'immobiliser juste au-dessus du bateau. De grands yeux dorés les observent avec curiosité.

— Oh! les drôles de petites créatures! grogne la bête, dont le souffle manque de faire chavirer le bateau. Qui êtes-vous, minuscules choses vivantes?

— Comment, minuscules choses! dit Alexis, indigné.

— Nous sommes des êtres humains, grosse bête! crie Barnabé. Et toi, qui es-tu?

— Moi! Qui je suis? Mais je suis le grand Miguasha! Le dragon des dragons! Le plus beau et le plus grand!

Il tourne sur lui-même pour se faire admirer. En effet, il est très beau! Tout son corps est recouvert d'écailles aux couleurs de l'arc-en-ciel. Sa tête ronde aux yeux dorés est surmontée de cornes noires et brillantes. Une longue crinière argentée flotte le long de son cou, sur la crête de son dos et jusqu'au bout de sa queue. Quand il parle ou grogne, sa gueule s'ouvre toute rouge et sa langue fourchue se déroule à la vitesse de l'éclair.

— Il doit y avoir bien des années que tu dors

dans cette falaise, Miguasha, car il n'y a plus de dragon depuis au moins 65 millions d'années! affirme Barnabé, qui reprend son sang-froid.

— Comment? Plus de dragon? Plus un seul dragon? rugit Miguasha.

— Ne t'énerve pas, mon gros! reprend Alexis sur un ton conciliant. Maintenant, c'est le tour des humains!

— Qu'est-ce que ça te fait d'avoir 65 millions d'années? demande Barnabé pour changer de sujet.

— 65 millions d'années, ça ne veut rien dire pour un dragon! grogne Miguasha.

Il lève la tête vers le ciel et respire fortement. "L'odeur de la mer, du varech, le vent, le ciel bleu, tout est pareil", songe-t-il dans sa grosse tête de dragon.

Les deux amis le contemplent avec une curiosité mêlée d'inquiétude. Le dragon se rapproche d'eux.

— Que vous êtes drôles! dit-il en riant. Comment faites-vous pour survivre? Vous êtes si petits!

— Tout est dans la tête! affirme Barnabé. Les humains sont des créatures intelligentes!

— Hé! Hé! Vous trouvez intelligent de réveiller

un dragon de 65 millions d'années en lui chatouillant les doigts de pieds? demande Miguasha d'un air moqueur.

Alexis et Barnabé se regardent en souriant. Ce dragon se mêle de faire de l'esprit!

— Cher dragon! riposte Barnabé, réveiller un vieux dragon à coups de pic n'est peut-être pas très intelligent. Mais tu as interrompu une importante chasse au trésor et ce n'est guère mieux!

— Qu'est-ce que c'est, un trésor? demande le naïf dragon.

— Ce serait trop long à t'expliquer! dit gentiment Alexis. Maintenant, il faut qu'on rentre chez nous. Alors, sois gentil et retourne dans ta falaise!

— Oh! non! Je ne retourne pas dans ma falaise! rugit le dragon. Je m'amuse tellement que je vais faire une petite promenade par là!

Et il se met à nager dans la direction de l'embouchure de la baie.

— Tu ne peux pas faire ça! Non, reviens! hurle Alexis. Dragon, écoute-nous!

— Ha, ha, ha! répond le grand Miguasha, soudain pris d'un accès de gaieté.

Il se roule dans la mer, balaie la surface de l'eau avec sa queue. Le bateau tangue et Alexis manoeuvre pour l'empêcher de chavirer. Barnabé enfile sa ceinture de sauvetage. L'eau les aveugle. Quand le calme revient, le dragon a disparu.

— Peut-être nous a-t-il obéi? commente Barnabé sans trop y croire.

Ils scrutent l'horizon. Soudain une gerbe d'eau jaillit au loin.

— Le voilà! lance Alexis. Nous n'avons pas une minute à perdre! Il faut le rattraper, sinon il va semer la panique!

Le bateau se met à la poursuite de Miguasha, mais le dragon a une bonne avance. Le jour s'achève et le ciel flamboie comme pour fêter le réveil de la bête.

— J'espère que ce monstre va s'arrêter pour la nuit! souhaite Alexis. Nous pourrons accoster et nous ravitailler. J'ai une de ces faims . . . !

— C'est de ton estomac que vient ce bruit? taquine Barnabé. Je croyais qu'un autre dragon se réveillait!

— Tu ferais mieux de trouver de bons arguments pour convaincre Miguasha de retourner dans sa falaise! dit Alexis en riant.

Le bateau suit le dragon de loin. Les étoiles s'allument une à une. De l'autre côté de la baie, un phare clignote, rassurant. Devant eux, le dragon Miguasha gagne le large dans une gerbe de bulles. Un peu plus tard, le lune se lève presque ronde. Le dragon la salue par un rugissement de bonheur qui remplit l'air et fait bondir de surprise Alexis et Barnabé.

— Regarde! s'écrie ce dernier, ne dirait-on pas que le dragon se repose?

En effet, Miguasha semble ralentir sa course. Il étire son long cou vers la lune, fait entendre un doux sifflement puis, brusquement, s'enfonce sous l'eau.

— Il va dormir! lance joyeusement Alexis. Nous allons pouvoir nous arrêter.

Les lumières de la petite ville de Paspébiac brillent sur la côte. Alexis, qui connaît la région, y amène son bateau jusqu'au quai. Ils sont très heureux de retrouver la quiétude d'un port. Ils montent au village acheter des victuailles. Au magasin général, il y a foule et l'animation règne. On les accueille par ces mots:

— Savez-vous la nouvelle?

Ils se regardent, feignant la surprise.

— Quoi donc? disent-ils en même temps.

— Vous arrivez de la baie?

— Nous étions en mer! répond Alexis, entraînant Barnabé dans le fond du magasin à la recherche de fruits.

— Vous avez dû le voir! leur crie le propriétaire derrière sa caisse.

— Mais qui donc? dit Barnabé en faisant le naïf.

— Bien . . . le monstre! Il est gros comme une montagne, avec un long cou et . . . Vous n'avez rien vu, certain?

— On n'a rien vu! coupe Alexis en posant ses achats sur le comptoir. Tu as vu un monstre, toi, Barnabé?

— Ben . . . non! Non! répond vivement Barnabé en sentant le coude d'Alexis dans ses côtes.

— Bonsoir la compagnie! lance Alexis, en ramassant son sac d'achats et poussant Barnabé vers la sortie.

Une fois dans la rue, il annonce:

— On s'en va tout de suite! On mangera sur le bateau! Il faut être là quand cet hurluberlu de dragon se réveillera. Qui sait où il peut aller? Il a déjà commencé à faire parler de lui tel que je le pré-voyais. Allez, viens!

CHAPITRE 5

AH! QUEL DRAGON!

Ils courent jusqu'au quai et scrutent la mer. Rien! Le dragon dort encore. Nos deux aventuriers s'embarquent et le bateau s'éloigne de la côte en longeant le barachois. Barnabé, debout à l'avant de l'embarcation, regarde dans toutes les directions cherchant l'imprévisible dragon.

— Il me semble qu'il s'est arrêté dans ce coin-ci! observe-t-il.

— Bon! Mangeons et dormons. Cette journée m'a épuisé! dit alors Alexis, qui manoeuvre son bateau jusqu'à la pointe du barachois.

Il remarque pourtant qu'il y a beaucoup d'algues à cet endroit. "Bizarre", songe-t-il en jetant l'ancre.

Après avoir mangé quelques fruits et des biscuits, ils s'installent pour passer la nuit.

— Moi je dors, et toi tu veilles! décide Alexis. Tu me réveilleras à une heure du matin et je te remplacerai. Nous ne devons pas nous laisser surprendre par ce malin dragon. Bonne nuit, matelot! Aie l'oeil ouvert et le bon!

Alexis s'enveloppe dans une vieille couverture, se blottit tant bien que mal dans le fond du bateau et s'endort. Barnabé reste seul avec la lune pour compagnie. "Personne ne pourra dire que j'ai la berlue cette fois! pense-t-il en souriant. Jamais je n'aurais rêvé que tout ça puisse m'arriver. La seule chose qui me déçoive, c'est de ne pas avoir trouvé ce fichu trésor. Une fois que nous aurons ramené le dragon dans sa falaise, il faudra que nous cherchions encore."

Le temps passe et le marchand de sable aussi. Il jette du sable d'or dans les yeux de Barnabé, et celui-ci pique du nez dans le col de sa vareuse. La lune reste seule à surveiller la mer, avec un petit sourire malicieux sur sa face brillante.

Bang! Bang! Le bateau bascule sur le côté. Bang! Il bascule de l'autre côté.

— Hé! Ho! crie Alexis en roulant parmi les câbles.

— Aïe! Ouille! crie Barnabé en plongeant sous un banc.

Alexis réussit à se redresser en s'agrippant au bastingage. Il remarque avec stupéfaction que le bateau est à sec sur un drôle de rocher recouvert d'algues argentées. Mais le plus étonnant, c'est que ce rocher se trouve à plus de 20 mètres au-dessus de la mer.

— Barnabé! hurle-t-il.

— Hein! Quoi! gémit le pauvre garçon sous son banc.

— Sors de là et viens voir si j'ai moi aussi la berlue!

Barnabé, à quatre pattes, se dégage avec peine et rejoint son ami.

— Qu'est-ce qu'il y a maintenant?

— C'est précisément ce que je te demande! répond Alexis en tâchant de garder l'équilibre.

— Mais . . . mais nous sommes sur le dos du dragon! s'exclame Barnabé.

Il vient d'apercevoir les écailles multicolores de Miguasha à travers la crinière d'algues.

— Hé oui! dit une grosse voix moqueuse, juste au-dessus d'eux.

Les deux amis lèvent la tête. Les grands yeux dorés du dragon clignent avec amusement.

— Que faites-vous sur mon dos, petites créatures aventureuses? grogne amicalement Miguasha.

— Et toi? Que fais-tu sous mon bateau? riposte Alexis du tac au tac.

— Ho! Ho! Hi! Hi! Que tu es drôle! Que vous êtes drôles juchés sur mon dos!

Puisque le jour est là, je mangerais bien un petit quelque chose! dit-il en se passant une langue gourmande sur les babines. Il baisse la tête vers les deux amis. Alexis, horrifié, regarde Barnabé. Celui-ci regarde le dragon avec étonnement. Mais le dragon, rapide comme l'éclair, plonge sa tête sous l'eau.

— Ouf! soupire Alexis.

— Ha, ha, ha! pouffe Barnabé.

Le dragon ressort sa tête ruisselante d'eau. Il a la gueule pleine de morues frétillantes.

— Miam! La nourriture . . . Crunch . . . Scroutch . . . s'est améliorée! Miam! et Gloup!

— Un dragon bien élevé ne parle pas la bouche pleine! lui fait remarquer Barnabé.

Miguasha baisse la tête vers le petit humain roux. "Il est très gentil et très brave ce petit! pense le dragon, je vais lui faire plaisir!"

Il replonge alors la tête sous l'eau et en ramène une grosse provision de morues qu'il laisse tomber sur le bateau. Les deux copains manquent d'être ensevelis sous cette pêche miraculeuse. Le bateau, en équilibre précaire, vibre de toute sa coque!

— Bon appétit! grogne le dragon.

— Tu es bien gentil! remercie Barnabé en émergeant de la montagne de morues avec Alexis, mais nous ne mangeons pas de poisson cru.

— Vous avez tort! remarque le dragon. C'est meilleur pour la santé. Maintenant que j'ai bien mangé, je vous emmène en promenade. Le soleil se lève. Je me sens en pleine forme!

— C'est reparti! soupire Alexis. Agrippons-nous, mon Barnabé, la fête va commencer!

Miguasha s'enfonce dans l'eau et gagne le large en direction de Percé.

— Nous allons faire une entrée remarquée au village! dit Barnabé. Pour une fois, je ne serai pas le seul à avoir la berlue!

Une folle journée commence. Ce premier jour du mois de juin va être inoubliable pour Alexis et quelques autres. Mais n'anticipons pas.

CHAPITRE 6

UN AUTRE MONSTRE?

Miguasha avance sans trop se presser. Sur son dos, le bateau roule et tangue. Barnabé a le mal de mer et Alexis, le vertige. Ils forment une belle équipe! Ils croisent quelques bateaux, qui font aussitôt demi-tour en apercevant le dragon.

— La nouvelle va faire le tour de la Gaspésie avant ce soir! conclut Barnabé.

Le dragon accélère soudain. L'eau jaillit sur les flancs de la bête et retombe en pluie fine sur le bateau.

— S'il continue à ce rythme, remarque Alexis, nous allons basculer dans la mer!

Mais malgré tout, le bateau reste juché sur le dos de Miguasha jusqu'à ce que celui-ci arrive en vue de l'île de Bonaventure.

— J'espère qu'il va s'arrêter un peu! Je voudrais bien rentrer chez moi! dit Alexis.

Il termine à peine sa phrase que le dragon s'arrête pile dans une colonne d'eau qui mouille les deux passagers de la tête aux pieds.

— Qu'est-ce qui se passe encore? demande Barnabé, dégoulinant.

Miguasha retourne vers eux sa grosse tête. Il paraît presque étonné de les voir là.

— Je vous avais oubliés!

— Tu nous as presque noyés, gros bêta! lui lance Barnabé.

"Que cette petite créature rousse et mouillée est gentille avec moi! se dit le dragon. Je vais lui faire plaisir!"

Il se met à souffler sur Barnabé un vent chaud qui sèche le garçon en quelques secondes.

— On dirait que ce dragon a beaucoup d'affection pour toi! observe justement Alexis. Demande-lui de me sécher aussi, tu veux?

Aussitôt dit, aussitôt fait! Le souffle chaud de Miguasha sèche aussi Alexis.

— Mais dis-nous, dragon, pourquoi t'arrêtes-tu si brusquement?

De la tête, Miguasha désigne la masse sombre du Rocher Percé se découpant sur le ciel doré du matin.

— Qui est ce monstre? grogne-t-il.

— Ce monstre? Je ne vois pas d'autre monstre que toi! répond Barnabé.

— Mais oui, tu vois bien! La longue bête qui me barre la route, là-bas!

— Ça, alors! Il prend le Rocher Percé pour un monstre, chuchote Barnabé à l'oreille d'Alexis.

— Oh! oh! fait Alexis le Dégourdi, j'ai une idée! Si ça marche, nous serons chez nous dans quelques minutes.

— Écoute, Miguasha, crie-t-il, nous devons être prudents! Je monte te parler de ce monstre!

— Qu'est-ce que cette histoire? Tu ne vas pas escalader le cou du dragon? s'exclame Barnabé.

— Écoute-moi, dit patiemment Alexis. Je monte là-haut, je rassure cette gentille et naïve bête et, dans un quart d'heure, nous sommes à la maison!

— Tu crois? murmure Barnabé.

— Ho! petite créature à poil jaune, tu montes? Je t'attends! siffle Miguasha, impatient.

47

— Ah! là là! quel compagnon! ricane Alexis, qui grimpe sur la proue du bateau, empoigne la crinière du dragon et commence à se hisser le long de son cou.

Il n'ose regarder en bas à cause de son vertige. "Une vraie histoire de fous!" murmure-t-il en montant vers la grosse tête ronde. Rendu en haut, il s'installe à califourchon entre les cornes de Miguasha, puis se penche vers l'oreille minuscule.

— Écoute-moi bien! commence-t-il. Le monstre que nous apercevons en travers de la baie protège mon village. Son nom est Rocher Percé. C'est un très vieux monstre. Il est très connu. Les gens viennent de partout pour le voir. C'est une vedette!

— Qu'est-ce que c'est, une vedette? coupe le dragon.

— Eh bien, voilà! Une vedette, c'est quelqu'un de très connu, qu'on photographie beaucoup et à qui on fait beaucoup de compliments . . .

— Je veux être une vedette! s'écrie Miguasha. Je suis plus beau que ce monstre Rocher Percé!

— Écoute, Miguasha! dit doucement Alexis, peut-être que Rocher Percé n'aimera pas beaucoup que tu lui prennes sa place. Il faudrait que tu le rencontres. Mais en attendant, nous irons derrière la grande île que tu vois au large de mon village.

48

Nous irons, Barnabé et moi, voir Rocher Percé et tu nous attendras à l'abri des grandes falaises! Tu es d'accord?

— D'accord! acquiesce le dragon. Tu es pleine de sagesse, petite créature! Mais dis-moi, qu'est-ce que c'est une photographie?

— Heu!... Nous verrons cela plus tard, cher Miguasha! promet Alexis. Maintenant, en route pour l'île de Bonaventure!

Le dragon nage jusqu'à l'île qu'il contourne en se dissimulant derrière les grands rochers couverts d'oiseaux blancs. Alexis descend alors de son perchoir et saute dans le bateau.

— Voilà! s'exclame-t-il, tout heureux de son coup.

— On ne t'appelle pas Alexis le Dégourdi pour rien! commente Barnabé.

— Remets-nous à flot! crie Alexis au dragon.

Miguasha s'enfonce dans l'eau jusqu'à ce que le bateau puisse flotter. Puis il disparaît complètement. Alexis et Barnabé rentrent à Percé. En route, Alexis raconte sa conversation avec Miguasha. Barnabé éclate de rire, mais il devient songeur à la pensée qu'ils avaient peut-être joué un mauvais tour à leur dragon.

49

— Crois-tu qu'il nous attendra longtemps derrière cette île? demande Barnabé.

— Le temps qu'il faut pour rentrer à la maison et trouver un bon argument pour le ramener dans sa falaise! Du moins, je l'espère.

C'est dimanche, le quai est presque désert. Je dis "presque" parce qu'à l'instant où Alexis y met le pied, il voit venir vers lui le grand Albert.

— D'où arrivez-vous comme ça, au petit matin? lance Albert en examinant les deux compères d'un oeil soupçonneux.

— De Paspébiac! répond Alexis.

— Et toi, Albert, que fais-tu de si bonne heure? C'est dimanche aujourd'hui, non?

— Je passais, je faisais un tour. Il paraît que les gens de la Baie des Chaleurs ont vu de drôles de choses depuis hier! chuchote-t-il d'un air mystérieux.

— Nous, nous n'avons rien vu! le coupe Alexis en souriant. Allons! viens, Barnabé! Rosalie doit nous attendre.

Quelques minutes plus tard, dans la grande cuisine blanche de sa maison, Rosalie écoute les deux jeunes gens lui raconter leur incroyable histoire. Elle va et vient en se tenant les côtes de rire.

— Comme ça, vous avez trouvé un gros trésor "dragonnant"? dit-elle en reprenant son souffle. Est-ce que je pourrai le voir, ce phénomène parlant? ajoute-t-elle d'un ton moqueur.

— J'espère bien qu'il ne montrera pas le bout de ses cornes aujourd'hui! soupire Alexis.

— Ho! hi, hi! Ha, ha, ha! rit de plus belle Rosalie en leur désignant la fenêtre devant laquelle elle vient de s'immobiliser.

Alexis et Barnabé bondissent en même temps de leur chaise et courent à la fenêtre.

— Ah non! rugit Alexis.

— Bien oui! avoue Barnabé.

— C'est lui? demande la belle Rosalie.

Au-dessus de l'extrémité ouest de l'île, une tête ronde se balance au bout d'un long cou. Dans le soleil, ses écailles brillent de toutes les couleurs de l'arc-en-ciel. Il est magnifique!

— Il ne manquait plus que cela! marmonne Alexis. Si le grand Albert est encore sur le quai, dans cinq minutes tout Percé sera sur le qui-vive!

Le dragon se dandine quelques secondes qui paraissent une éternité. Les cloches de la messe de neuf heures sonnent. Le dragon disparaît.

— Ce qu'il est beau! s'extasie Rosalie. Mais qu'allez-vous en faire?

— Le ramener dans sa falaise. N'est-ce pas, Barnabé?

Barnabé n'entend pas. Il s'est endormi sur le coin de la table de cuisine, la tête appuyée sur son bras.

— Va dormir toi aussi, Alexis, conseille Rosalie. Je vais descendre au quai pour écouter les commérages.

Alexis couché, Rosalie enfile sa grande robe de coton blanc à fleurs bleues. Elle tresse ses longs cheveux noirs et les remonte en couronne sur sa tête, puis elle sort sans faire de bruit et se dirige d'un pas dansant vers le grand quai de Percé.

CHAPITRE 7

MISHA

Laissons Rosalie à sa promenade et les amis Alexis et Barnabé à leur sommeil! Retournons derrière l'île de Bonaventure retrouver le dragon Miguasha. De temps en temps, il étire le cou et surveille le monstre Rocher Percé. Celui-ci ne bouge pas, bien sûr! Le naïf dragon croit qu'il dort et, ne voyant pas revenir la petite créature aux cheveux roux, il s'ennuie. Comme il allonge le cou une fois de plus au-dessus des rochers de l'île, le bruit des cloches de l'église de Percé traverse le bras de mer et vient frapper l'ouïe sensible du dragon terrifié.

— Ça y est! Ça y est! Le monstre s'est réveillé! grogne-t-il. Sans doute m'a-t-il aperçu. Je vais aller faire un petit tour en haute mer, loin du monstre-vedette et des petites créatures oublieuses!

Il plonge sous l'eau et s'éloigne de l'île et de Percé. Lorsqu'il risque un oeil hors de l'eau, il aperçoit devant lui une très large baie, au fond de laquelle les vagues viennent rouler leur écume sur une belle plage de sable. Il s'en approche et, à quelques dizaines de mètres du rivage, il s'arrête le coeur battant. Il vient de voir deux minuscules créatures qui grattent dans le sable.

— Oh! oh! observe le dragon, ces petites créatures ressemblent à mes amis du bateau, mais elles sont encore plus petites!

Il abaisse son long cou vers les enfants et pose sa grosse tête dans l'écume des vagues, afin de les examiner sans être vu.

— Il est beau notre château, ma tante tirelirelo . . . chantonne une petite fille brune en admirant le château de sable qu'elle a façonné avec son frère.

— Va chercher d'autres galets pour finir le chemin du château! demande-t-elle à son petit compagnon de jeu.

Celui-ci se lève, prend un seau et court vers les galets, plus haut sur la plage. Il en remplit son seau et se retourne vers sa soeur. C'est à ce moment qu'il aperçoit le dragon dans les vagues.

— Julia! Julia! Regarde dans l'eau! crie-t-il de toutes ses forces.

Julia tourne la tête vers la mer. Miguasha la regarde gentiment de ses grands yeux dorés.

— Tiens! un dragon! dit simplement la fillette. Bonjour, dragon!

— Bonjour, mignonne petite créature! grogne doucement le dragon.

Julia se lève, secoue le sable de ses vêtements et va se planter devant la grosse tête de la bête.

— Comment t'appelles-tu?

— Je m'appelle Miguasha!

— Migua . . . comment? Ton nom est trop difficile, je vais t'appeler Misha! C'est bien plus joli, n'est-ce pas?

— Oui, oui! dit le dragon, en clignant les yeux de contentement. Et toi, petite créature à la voix d'oiseau, quel est ton nom?

— Julia! répond la petite fille. Elle se retourne et, prenant la menotte de son petit frère craintif, elle le présente au gentil dragon:

— Voilà mon petit frère, Jo!

Le dragon est ravi, il a trouvé de la compagnie. Il ne s'ennuiera plus.

— Je peux jouer avec vous? demande-t-il.

— Tu es bien gros! dit Jo. À quoi sais-tu jouer?

— Saurais-tu faire un château aussi beau que le mien? ajoute Julia.

— Il est joli ton château, apprécie Misha, mais il est bien trop petit! Je vais vous en construire un plus gros!

— Hourra! lance Jo. Un gros comme ça? fait l'enfant en ouvrant les deux bras.

— Bof! Bien plus gros encore! Montez ici sur ma tête . . . C'est ça! Tenez-vous à mes cornes. Parfait! Nous allons faire le plus gros château que vous ayez jamais vu!

— Vive le dragon! Vive Misha! crient les enfants.

Alors le dragon se met à remuer le sable et les galets avec ses pattes, ses griffes et sa queue. Il pousse, creuse, entasse . . . Les enfants rient de le voir si agile et si rapide. En un tour de dragon, il construit un énorme château et à la fin recule dans la mer pour le faire admirer aux enfants.

— Oh! que c'est beau! s'exclament-ils.

En effet, il est beau ce château! Il a plus de deux mètres de haut, des tours, des créneaux, des remparts et même un grand fossé tout autour. Misha l'a recouvert de petits morceaux de ses écailles multicolores qui le font resplendir au soleil.

— Qu'est-ce qu'on fait maintenant? demande Misha.

— Chante-nous des chansons! réclame la fillette.

— Qu'est-ce que c'est des chansons? interroge Misha.

— Je vais t'en chanter une, gros ignorant! répond Julia en lui tapotant gentiment la tête. Écoute!

— *Il était un petit navire*
Il était un petit navire
Qui n'avait ja . . . ja . . . jamais navigué
Qui n'avait ja . . . ja . . . jamais navigué . . .
Ohé, Ohé!

Julia chante toute la chanson!

— Encore! murmure le dragon, qui n'a jamais rien entendu de si léger et de si clair.

Les yeux fermés, il répète:

— Encore!

Alors Julia et Jo chantent au dragon toutes les chansons qu'ils connaissent. Après chaque chanson,

Misha répète: "Encore et encore!" Finalement les enfants s'arrêtent de fatigue.

— Pose-nous sur la plage, dragon, nous allons jouer à autre chose!

Le dragon les dépose délicatement sur le sable.

— Jouons à faire de gros bouquets de fleurs!

— Qu'est-ce que c'est des fleurs? demande Misha.

— Attends-nous ici, nous allons en chercher!

Les enfants remontent la plage en courant et disparaissent derrière les rochers longeant la voix ferrée.

"Reviendront-ils? s'inquiète le dragon Misha. Des fleurs, qu'est-ce que ça peut bien être?"

Quelques minutes plus tard, Julia et Jo dévalent la plage en direction de leur ami, les bras chargés de pissenlits. Julia tend son bouquet à Misha.

— Voilà des fleurs, je te les donne!

— Que c'est joli! On dirait de petits soleils poilus! dit le dragon, qui ouvre sa gueule rouge, déroule sa langue pointue, attrape le gros bouquet et n'en fait qu'une bouchée qu'il mastique les yeux fermés.

— C'est très bon! J'en reprendrais bien encore un peu!

Jo lui présente son bouquet et Misha le happe d'un coup de langue. Les enfants étonnés le regardent avaler leurs fleurs avec appétit.

— Je ne savais pas que les pissenlits, c'était de la salade de dragon! dit Jo.

— Maintenant, tu le sais! rit Julia.

— On joue à quoi? demande le dragon en mâchouillant son dernier pissenlit.

— Jouons à la cachette! propose Jo.

— Le dragon ne pourra pas se cacher, on le verra de partout! s'écrie Julia.

— C'est lui qui comptera! décide Jo.

— Qu'est-ce que c'est compter? dit le dragon, en ouvrant de grands yeux.

— Bien . . . un, deux, trois, quatre, cinq . . . compter, quoi!

— Puisque tu sais compter, petite Julia, nous allons nous cacher Jo et moi, dit le dragon. Tu ne nous trouveras pas!

— D'accord! bougonne Julie, incrédule.

La tête appuyée sur son bras contre un rocher, elle se met à compter lentement.

— Où va-t-on se cacher? chuchote Jo.

— Monte sur ma tête et tiens-toi bien! On va s'amuser!... Chut!

— ... dix-huit, dix-neuf, vingt! Prêts pas prêts, j'y vais! crie Julia en se retournant.

La plage est vide. Le dragon et Jo se sont volatilisés! Julia court vers la mer. Pas le moindre petit bout de queue de dragon parmi les vagues! Elle revient vers les rochers en se disant: "Un aussi gros dragon ne peut pas disparaître comme ça!"

En effet, le dragon n'est pas vraiment disparu. Il s'est transformé comme un caméléon. Toutes ses écailles ont pris la couleur de la plage, des galets, du ciel et de la mer autour de lui. Le dragon est devenu le paysage. Mais Jo, lui, est toujours visible. Il aurait fallu que Julia lève la tête pour l'apercevoir au-dessus de la plage. De son observatoire, Jo rit de bon coeur de voir sa soeur les chercher partout.

— Chut! fait le dragon.

Mais Jo ne peut s'empêcher de rire et finalement Julia l'entend.

— Ho! Ho! s'écrie-t-elle, je t'entends mon petit Jo. Où es-tu?

Elle tourne la tête dans toutes les directions. Pas de Jo! Un grand éclat de rire lui fait lever les yeux vers le ciel. Elle aperçoit avec stupéfaction son frère comme flottant dans les airs. Sans perdre son sang-froid, elle s'élance vers les rochers en criant:

— Un, deux, trois . . . pour Jo! Descends de là immédiatement! Mais où est le dragon Misha? ajoute-t-elle, les poings sur les hanches en retournant vers la mer.

— Un, deux, trois . . . pour moi! grogne la grosse voix du dragon derrière elle.

La fillette se retourne vivement. Le dragon est là, devant elle, et remplit toute la plage de ses écailles multicolores. Sur sa tête, Jo rit à gorge déployée.

— Tu es un blagueur, dragon! dit Julia, un peu vexée.

— Hi, hi, hi! J'aime beaucoup jouer à la cachette! ricane Misha.

— Eh bien, nous allons jouer à autre chose de moins surprenant! décide Julia.

— Lançons-nous la balle! propose Jo que le dragon a fait descendre de son perchoir.

Il court chercher sa balle et explique au dragon les règles simples du jeu.

— Je lance la balle à Julia et elle me la renvoie. Tu vois, c'est simple!

— Je vois! répond le dragon.

— Baisse un peu la tête! lui crie Julia. Je ne peux pas lancer la balle si haut.

Le dragon pose sa grosse tête sur la plage. Julia lui envoie la balle qu'il attrape avec sa longue langue rouge.

— À moi! dit Jo en tendant les mains.

Le dragon déroule sa langue à toute vitesse pour retourner la balle, qui part comme une fusée. Jo la voit passer bien au-dessus de lui, en direction des nuages.

— Je crois que j'ai fait encore une bêtise! s'excuse le dragon, malheureux.

— Mais non! le console Julia. Tu es un gros dragon, c'est tout! Tu devrais plutôt nous raconter une histoire, suggère-t-elle.

— Oui, oui! réclame Jo. Raconte une histoire. Une histoire de monstre!

— Je ne connais pas d'histoire de monstre, avoue le dragon. Mais je vais vous raconter une belle histoire de dragon!

Une fois les enfants assis bien sagement à deux pas de sa grosse tête, Misha commence:

— Il y a très très longtemps, sur la plage d'un océan immense et tiède, un gros oeuf bleu craqua soudain. Un petit dragon tout gris, avec des cornes grises et une crinière grise, en sortit. Un petit dragon pas beau du tout. C'était moi! À cette époque, sur la planète Terre, il n'y avait pas de petites créatures comme vous, avec lesquelles j'aurais pu jouer. Le soleil, la lune, les étoiles, la pluie et le vent étaient mes amis.

— Comment es-tu devenu tout en couleur? demande Julia.

— Un jour, explique le dragon, il y eut une grande tempête avec des éclairs et du tonnerre. Elle se prolongea des jours et des jours. Il faisait très noir. J'avais peur!

— Moi aussi, j'ai peur des orages! confie Julia.

— Ah! s'impatiente Jo, laisse-le donc raconter son histoire!

— Petit à petit, la tempête se calma, reprend le dragon. Le ciel s'éclaircit! C'est alors que j'aperçus

un énorme dragon rouge qui poursuivait des baleineaux perdus dans la tempête.

— Oh! le méchant! s'indigne Julia. Mais continue . . . Misha!

— Je continue, grogne le dragon. Je disais donc
que le dros dragon s'apprêtait à dévorer tout rond
un petit baleineau. Je rugis le plus fort que je pus
et je fonçai sur le dragon rouge. Surpris, il lâcha le
baleineau et se tourna vers moi en grognant. Le
combat fut rude! Bien sûr, je ne gagnai pas la
bataille, mais les petits baleineaux avaient pu s'en-
fuir. Le méchant dragon m'abandonna tout essoufflé et bien égratigné. Il partit chercher son souper
ailleurs.

— Bravo! s'écrie Jo, en battant des mains.

— Ensuite? dit Julia.

— Ensuite, ma petite Julia, le soleil se montra
derrière les nuages et un énorme arc-en-ciel traversa le ciel pour fêter la fin de la tempête. Je me
suis écrié en l'admirant: "Que j'aimerais moi aussi
briller de toutes les couleurs, comme toi, bel arc-
en-ciel!" – "C'est facile!" dit une voix douce près
de moi. Je me retournai. Une énorme baleine bleue
me regardait gentiment. Elle continua: "Je suis la
Baleine bleue, la maman des petits baleineaux que
tu as sauvés. Mais je suis aussi la Fée des baleines et

je vais exaucer ton voeu et te rendre pareil à l'arc-en-ciel."

La Fée-baleine lança alors vers le ciel un long jet d'eau fait de bulles rouges, orangées, jaunes, vertes, bleues et violettes, qui retombèrent sur moi. Mes écailles prirent la couleur de l'arc-en-ciel, mes griffes se couvrirent de l'or de la lune et du soleil, ma crinière resplendit de l'argent de la neige et mes cornes se mirent à luire comme l'éclair!

— Quelle belle histoire! murmure Julia.

— Raconte encore! insiste Jo.

— Je devins un grand et fort dragon, poursuit Misha. J'accompagnais la baleine-fée et sa famille dans tous leurs voyages. La vie était belle!

— Mais comment es-tu arrivé jusqu'ici? demande Julia.

— Une nuit, une énorme boule de feu traversa le ciel et l'enflamma. La terre se mit à trembler! L'ouragan rugit! Un grand malheur venu du ciel frappa les dragons de la terre!

— Oh! mon Dieu! s'exclament en même temps les enfants. Qu'as-tu fait, Misha?

— Mon amie la baleine-fée me dit: "Dragon, tu es en danger! Plusieurs milliers de dragons ont déjà péri à cause de la boule de feu. Tu es trop beau pour disparaître! Je vais te protéger. Je connais une cachette dans une falaise loin d'ici. Tu y dormiras aussi longtemps qu'il faudra et peut-être un jour pourras-tu retourner dans la mer." Nous sommes donc partis, la baleine et moi, au milieu de l'ouragan sous le ciel embrasé. Le voyage fut long et dangereux! La baleine m'amena jusqu'à une belle falaise rose. Elle lança vers moi un grand nuage bleu qui m'enveloppa, et je m'endormis. Je me suis réveillé, hier, lorsque deux petites créatures ont ouvert un trou dans ma falaise en me donnant un grand cou dans la patte.

— Que vas-tu faire maintenant que tu es libre? s'informe Julia.

— Je pourrais rester avec vous, mais je veux devenir une vedette! dit Misha.

— Qu'est-ce que c'est une vedette? demande le petit Jo.

— C'est trop long à expliquer! répond le dragon.

— Et puis, dit Julia en riant, maman n'aimerait pas beaucoup avoir un dragon dans son jardin!

Le dragon n'a pas le temps de répondre. Une voix appelle derrière les rochers:

— Jo! Julia! Où êtes-vous?

— C'est maman! s'écrient les enfants. Misha, tu ferais mieux de te cacher dans la mer. Je ne pense pas que maman . . .

— Hi! Hiiiiiiiiiiiiiii! . . .

Un cri strident les fait tous sursauter!

— Trop tard! dit le dragon en reculant dans les vagues. Elle m'a vu!

Il se rend bien compte que ses rapports avec les humains ne sont pas faciles! Sa grosse voix se fait douce comme la brise d'été:

— Au revoir! Au revoir, gentilles petites créatures!

— Au revoir, Misha! Reviens-nous vite! lancent les enfants en agitant la main.

CHAPITRE 8

UNE DRÔLE DE NUIT

Le dragon Misha reprend la mer. Il se retourne plusieurs fois vers la plage en soupirant. Il fait claquer sa longue queue sur l'eau. Il ressemble à un grand arc-en-ciel en marche sur la mer scintillante. Il gagne finalement le large en direction de Gaspé.

Au même moment, à Percé, Rosalie, Alexis et Barnabé descendent vers le quai. Il y a foule! On ne parle que du monstre. On raconte à son sujet n'importe quoi! On dit qu'il est terrible, qu'il avale des bateaux, qu'il fait peur aux enfants en crachant le feu! Le grand Albert fait un discours au bout du quai. Il parle haut et fort. Il sait tout! Il a tout vu! On l'écoute avec respect et terreur.

Alexis embrasse Rosalie:

— Nous allons essayer de ramener qui tu sais! Nous reviendrons demain, je l'espère. Ne t'inquiète pas! Allons, Barnabé, dépêche-toi!

Ils sautent dans leur bateau et, quelques minutes

plus tard, ils voguent vers l'Île de Bonaventure. Le grand Albert aborde Rosalie:

— Tu aurais dû les empêcher de partir! Il y a un monstre terrible qui rôde autour de la baie. Ils se feront dévorer tout crus!

— L'as-tu vu, ce monstre, Albert? lui demande tranquillement Rosalie.

— Bien!... Euh!... Non! Mais je...

— Au revoir, Albert, coupe gentiment Rosalie en souriant.

Elle lui tourne le dos et rentre. Le grand Albert en reste muet de surprise. Là-bas, le bateau contourne l'île.

À bord, Barnabé s'agite. Il a fait un cauchemar dans lequel le dragon Miguasha a été capturé et placé dans une énorme cage où il dépérissait loin de la mer et de ses amis.

— Pourvu que Miguasha soit encore là! s'inquiète-t-il.

— Ça m'étonnerait qu'il nous ait attendus! lui confie Alexis.

En effet Misha a disparu, comme nous le savons!

— Où peut-il être allé? s'énerve Alexis.

— Comme il ne voulait pas retourner à Miguasha, il a dû filer vers Gaspé. Cherchons de ce côté!

— Comme tu voudras! dit Alexis.

Le petit bateau fonce aussi vite que son moteur le permet. Une autre poursuite commence. Mais, quelques kilomètres plus loin, Misha le dragon ne s'amuse plus. Il s'ennuie à mourir. Il a pris goût à la compagnie des êtres humains et il se met à regretter ses amis Alexis et Barnabé. Aussi décide-t-il brusquement de faire demi-tour et de retourner à Percé.

C'est ainsi qu'Alexis et Barnabé l'aperçoivent tout à coup nageant à leur rencontre dans une montagne d'écume.

— Attention! hurle Barnabé, le voilà! Il nous arrive droit dessus! Mais... mais... il ne nous voit donc pas?

Le bateau évite de justesse la collision. Misha stoppe dans une gerbe de bulles mousseuses.

— Les petites créatures! Les petites créatures! rugit-il de joie.

— Salut, Miguasha!

— Pas Miguasha! Je m'appelle Misha maintenant, précise le dragon.

— Tu as entendu cela, Barnabé? Môssieur le dragon s'appelle "Misha".

— D'où te vient ce nouveau nom? demande Barnabé, intrigué.

Le dragon parle de sa rencontre avec les enfants de la plage, le château de sable, les jeux et finalement la terreur de la mère.

— Pourquoi a-t-elle eu si peur? se demande encore Misha.

— Oh! là là! commente Alexis.

— Bon! tranche Barnabé, es-tu prêt à retourner dans ta falaise maintenant que tu t'es bien amusé?

— Je n'ai pas envie de rentrer me renfermer dans la pierre! riposte Misha en faisant claquer sa queue.

— Ne sois pas capricieux! intervient Alexis. Tu fais peur aux gens, tu ne peux pas rester en liberté à effrayer la population.

— Je n'ai effrayé qu'une créature! se défend Misha.

— Tu n'es qu'un dragon têtu! tonne Alexis qui commence à perdre son sang-froid. Rentre immédiatement!

— Na! fait le dragon qui rebrousse chemin et gagne le large.

Alexis, rouge de colère, se tourne vers Barnabé:

— Il me semble, mon cher Barnabé, que tu aurais dû m'aider à convaincre ce dragon de rentrer à Miguasha! Tu n'as pas ouvert la bouche. Que se passe-t-il?

— Il a raison, ce dragon, de ne pas vouloir retourner s'enfermer dans une falaise! Je le comprends de vouloir garder sa liberté. Mais ne te fâche pas, nous allons trouver une solution!

Alexis est tellement étonné de la réponse de son ami que sa colère s'envole d'un seul coup.

— Tu as raison, Barnabé. Ce n'est pas un dragon de rien du tout qui va me faire perdre patience! dit Alexis en retrouvant son sourire. Mais que faire alors?

— Suivons-le! suggère Barnabé. Je vais réfléchir. Donne-moi encore un peu de temps, tu veux, Alexis?

— D'accord! Je m'inquiète seulement d'avoir à passer une deuxième nuit en mer.

— C'est la pleine lune, ce soir! La nuit sera claire.

74

Misha les a entraînés loin en mer. Les côtes ne sont plus qu'un mince fil sombre sur l'horizon. La nuit monte de la mer et bientôt se lève la lune immense et ronde comme un ballon orangé. La silhouette du dragon se dresse soudain devant elle. Misha la salue avec un long sifflement. Le spectacle est impressionnant. Absorbé dans la contemplation du dragon, Alexis manque de jeter son bateau contre un énorme rocher.

— Ouf! s'exclame-t-il en le contournant de justesse.

— Regarde! dit Barnabé. Ce récif, sous la lune, ressemble à un grand voilier. Je me rappelle à ce sujet une légende . . .

— Barnabé! l'interrompt Alexis, ce n'est pas le moment de raconter des légendes. Surveille plutôt le dragon!

— Il a encore disparu! s'écrie Barnabé.

Autour la mer est calme. Misha leur a faussé compagnie, une fois de plus. Alexis arrête le moteur de son bateau. Il n'y a pas un souffle de vent, pas une vague! On entend presque la lune monter dans le ciel. La nuit devient très noire et comme veloutée. La lumière de la lune met de l'argent sur le grand rocher. Alexis se sent vaguement inquiet.

— Qu'est-ce qu'elle raconte, ta légende? demande-t-il pour rompre le bizarre silence de cet endroit.

— Il y a fort longtemps, commence Barnabé, un pirate enleva une jeune fille de bonne famille appelée Blanche de Beaumont. Il la garda prisonnière sur son bateau. Pour se venger, la jeune fille jeta un sort au navire et à son équipage et les transforma en rocher. Je me demande si . . . ce n'est pas justement ce . . . Ahhhh!

Alexis voit alors la bouche de Barnabé s'ouvrir toute grande et ses yeux se remplir de terreur. Il se retourne d'un bond. Là, à tribord, à la place du récif, il y a une belle frégate dont les hautes voiles éclatent de blancheur sous la lune.

— Le rocher! Le rocher! Un navire . . . la légende! balbutie Barnabé.

Alexis garde son calme, en se disant qu'il doit sûrement y avoir une autre explication.

— Quel beau navire! fait-il avec admiration.

— Tu sais ce qu'il y a sur ce beau navire? l'avertit Barnabé en retrouvant ses esprits. Des fantômes! C'est comme je te le dis, Alexis!

— Ça fait des années que je rêve de voir un bateau comme celui-là! réplique simplement Alexis.

— Mais . . . Alexis . . . écoute-moi, voyons! insiste Barnabé.

— Allons faire un tour là-dessus! reprend Alexis en montrant la frégate.

Barnabé le regarde avec stupéfaction. "Il est devenu fou!" se dit-il. Alexis remet alors son bateau en marche et fait le tour de la frégate, qui semble abandonnée. Avisant une échelle de corde qui pend du pont arrière, il approche et aborde en douceur le grand voilier. Il y attache son petit bateau et, se retournant vers Barnabé, il lui dit:

— Tu viens ou tu m'attends, expert en fantômes?

— J'y vais, j'y vais! bégaie Barnabé en tremblant.

Ils se retrouvent grimpant au flanc de la frégate fantôme!

CHAPITRE 9

LES PIRATES!

Quelques instants plus tard, ils enjambent le bastingage. Ils sont sur la dunette. À peine ont-ils touché le plancher vermoulu qu'un cri les immobilise:

— Arrière! Je vous ordonne de me libérer! Vous n'êtes qu'un odieux pirate! hurle une voix de femme.

— Oh! non, ma belle! Il faudra d'abord que monsieur votre père me donne une grosse rançon! tonne une féroce voix d'homme.

Alexis donne un coup de coude à Barnabé.

— Y a de la chicane chez tes fantômes! dit-il d'un ton moqueur.

— Ne ris pas, Alexis! Nous assistons au drame de la légende que je t'ai racontée. Nous sommes sur le navire du pirate et si tu veux mon avis, nous devrions quitter cet endroit malfaisant.

Une porte claque dans le silence revenu.

— Ça vient de l'avant! chuchote Barnabé.

— Allons-y! lance Alexis, entraînant son ami.

— Ce sont des fantômes! répète Barnabé en essayant de se dégager.

— Fantômes ou pas, j'y vais! Je veux visiter ce navire! Ce n'est pas tous les jours qu'on a une chance comme celle-là!

— Il appelle ça une chance! murmure Barnabé d'une voix étranglée.

— Allons voir le fantôme du capitaine! Hooo! se moque Alexis en prenant un ton lugubre.

Ils traversent le pont du grand navire. Les planches craquent sous leurs pas. En passant sous les mâts, ils constatent que les belles voiles blanches sont en lambeaux. Ils poursuivent jusqu'au gaillard avant. Là-haut, à la proue, une haute silhouette un peu floue leur tourne le dos.

— Hé! Capitaine! crie Alexis.

La silhouette se retourne.

— Qui va là? grogne une voix rauque et coléreuse.

Alexis s'avance dans la lumière crue de la lune. Le pirate fait quelques pas à son tour. C'est un gros homme barbu, coiffé d'un chapeau à plumes et revêtu d'un long manteau sombre. Un sabre brille contre sa botte gauche. Un vrai pirate!

— Holà! Qui êtes-vous? rugit-il.

— Ce fantôme a bien mauvais caractère! chuchote Alexis.

— Qui va là? tonne de plus belle le pirate.

— Alexis et Barnabé, pêcheurs de métier, répond Alexis. Nous arrivons de Percé. Vous avez un bien beau bateau, capitaine!

Le fantôme du pirate s'approche petit à petit. Les deux amis peuvent alors apercevoir son visage. Il a une énorme barbe tombant jusque sur son manteau. D'épais sourcils noirs se rejoignent au-dessus de son grand nez crochu. Ses yeux lancent des éclairs de colère. Il penche la tête et un anneau d'or brille à son oreille droite.

— Ventre-saint-gris! crie-t-il. Qu'est-ce que ces matelots de pacotille font sur ma frégate?

Alexis et Barnabé reculent de quelques pas. À ce moment la porte de la cabine s'ouvre. Une grande jeune fille blonde apparaît, enveloppée dans une longue cape de velours blanc. Elle est très pâle et ses yeux brillent de fureur. Alexis s'incline devant la belle apparition.

— Mes hommages, mademoiselle!

Barnabé, pour ne pas être en reste, s'incline à son tour.

— Bonsoir, Mademoiselle de Beaumont! murmure-t-il, intimidé.

La demoiselle fantôme ouvre des yeux ébahis. Sa colère tombe. Elle se tourne vers le vilain pirate et l'apostrophe:

— Qui sont ces hurluberlus? Que font-ils dans notre légende?

Le pirate hausse les épaules.

— Demandez-leur vous-même! grogne-t-il.

— Alors, je vous écoute, messieurs! Qui êtes-vous? Est-ce mon père qui vous envoie? interroge la demoiselle, d'une voix sèche.

— Je m'appelle Alexis! répond le pêcheur. Je ne connais pas monsieur votre père, mais si je puis vous aider . . . !

— Tu vas nous attirer des ennuis! marmonne

Barnabé en le tirant discrètement par la manche. Allons-nous-en!

Blanche de Beaumont s'approche des deux jeunes gens et les examine. Un timide sourire éclaire son visage.

— Pourriez-vous me ramener chez mon père? dit-elle à voix basse.

"Et voilà! pense Barnabé. Les ennuis commencent!"

Le pirate, là-haut sur le gaillard avant, a tout entendu. Il descend en vitesse et crie:

— Jeunes gens! Si vous ne quittez pas ce navire immédiatement, je vous fais pendre au mât de misaine! Quant à vous, mademoiselle la futée, retournez dans votre cabine!

— Monsieur le pirate, soyez poli avec mademoiselle! se fâche Alexis.

— Monsieur Alexis, pleure Blanche, ramenez-moi chez mon papa!

— Oh! là là! Quelle histoire! bougonne Barnabé.

Le pirate saute alors vers Alexis avec une rapidité incroyable. Il a tiré son sabre d'abordage. Les deux amis se réfugient derrière le mât de misaine.

— Fuyons vite! insiste Barnabé en poussant son ami vers l'arrière du navire.

Ils fuient tête baissée. En courant, Alexis bute contre un mur.

— Il y a une porte ici! lui souffle Barnabé.

Alexis empoigne le loquet et ouvre la porte à toute volée. Ils s'engouffrent dans le noir. La porte claque derrière eux. Ils ne voient plus rien. Barnabé fait un pas et pousse un cri. Alexis entend un bruit de chute. Boumbadabom!

— Flûte! C'est l'escalier de la cale! Barnabé! Barnabé! appelle-t-il, es-tu blessé?

Pas de réponse. Alexis cherche dans ses poches une allumette qu'il craque. À la faible lueur de la flamme, il aperçoit Barnabé au bas de l'escalier qui se frotte la tête en grimaçant.

— Rien de cassé? demande Alexis.

— Mais non, gémit Barnabé, ça va! Je descends toujours les escaliers comme ça, voyons!

L'allumette s'éteint. Alexis entend Barnabé se relever et il descend le retrouver. Ses yeux, petit à petit, s'habituent à l'obscurité.

— As-tu un briquet? demande-t-il à Barnabé en le rejoignant.

84

— Je crois que oui. Tiens, le voilà!

Ils perçoivent alors des murmures. Alexis allume le briquet. Ils distinguent des ombres au fond de la cale. Ils s'approchent prudemment. La lumière donne vie aux ombres. Il y a là une trentaine de marins en loques. Ils lèvent la tête vers la petite flamme et l'un deux s'écrie:

— On vient nous libérer de la nuit! La lumière est revenue! On peut revivre!

À ces mots, les matelots se ruent vers l'escalier. Alexis et Barnabé rebroussent chemin en vitesse, talonnés par la horde d'hommes qui hurlent sans arrêt:

— Hourra! Hourra!

Les deux copains surgissent sur le pont comme les diablotins d'une boîte à surprise. Tour à tour, les marins échevelés sortent sous les yeux ahuris de leur capitaine. Il y a bien deux siècles que ces pauvres fantômes n'ont pas vu la lumière de la lune. Ils sautent et chantent. Ils mettent en fuite la pauvre demoiselle fantôme, qui court se réfugier sur la dunette.

— Monsieur Alexis! Monsieur Barnabé! Sauvez-moi de ces brigands! supplie-t-elle.

— Si vous montez là-haut, je vous coupe en deux!

rugit le pirate en bloquant le passage aux hardis compagnons.

— Capitaine! Attention, derrière vous! s'écrie Alexis.

Le capitaine se retourne et les matelots se jettent sur lui en hurlant:

— On rentre chez nous! Capitaine, ramenez-nous!

— Laissez-moi, canailles! Fantômes de malheur! Sinon, je vous renvoie à la cale!

C'est précisément ce moment de confusion et d'agitation que choisit le dragon pour faire sa réapparition. Il surgit de l'eau juste à la poupe du navire où s'est réfugiée Mademoiselle de Beaumont. Misha est enveloppé dans sa longue crinière argentée. Dans la lumière blanche de la lune, il semble être un gigantesque fantôme qui remplit le ciel.

— Hou! Hou! fait-il amicalement. Où êtes-vous, mes amis?

Blanche de Beaumont sursaute et lève les yeux. Quand elle aperçoit l'apparition, elle s'évanouit.

Le pirate, qui en a vu d'autres, vocifère:

— Matelots! À vos postes de combat!

Mais les pirates, stupéfaits par le dragon, s'enfuient dans toutes les directions. Il y en a même qui retournent au fond de la cale.

— Il y a beaucoup d'agitation ici! s'écrie Misha. Vous n'avez pas d'ennuis? ajoute-t-il en apercevant Alexis et Barnabé au milieu des pirates.

— Mais non! Tu es tout de même le bienvenu, car imagine-toi que tu as fait peur à des fantômes! lance Alexis dans un éclat de rire.

— Qu'est-ce que c'est des fantômes? demande le dragon.

Barnabé soupire:

— Toi et tes questions...! Oh! Alexis! La demoiselle Blanche est évanouie. Il faut l'aider!

Ils montent tous les deux sur la dunette au moment où la jeune fille retrouve ses esprits. En bas, sur le pont, le capitaine continue à tempêter en poursuivant ses matelots et faisant des menaces au dragon. Son sabre tournoie et lance des éclairs! Blanche de Beaumont ajuste sa cape autour d'elle, puis rejette ses longs cheveux blonds en arrière.

Le dragon Misha l'observe avec curiosité. Il se penche un peu et grogne:

— Quelle mignonne petite créature! Elle est belle comme une fleur!

87

Mademoiselle de Beaumont s'avance avec dignité vers le pont. Elle regarde le navire en folie et crie d'une voix forte:

— Pirates! Dans la paix du rocher, nous étions; dans la paix du rocher, nous retournons! Le monde des vivants est pire qu'avant!

Elle lève la tête vers la lune, sourit à Barnabé et à son ami Alexis. Elle aperçoit le dragon, pâlit un peu mais ne bronche pas. Elle lève la main droite.

— Elle a jeté un sort au navire! murmure Barnabé. Pourvu que . . .!

CHAPITRE 10

OUF! QUELLE NUIT!

L'instant d'après, Alexis et Barnabé se retrouvent assis sur les rochers du récif. La frégate est redevenue de pierre! L'ombre du dragon les enveloppe. Misha n'en croit pas ses yeux de dragon.

— Que s'est-il passé, petites créatures surprenantes?

— Nous revenons de chez les fantômes!

— Mais qu'est-ce que c'est des fantômes? insiste Misha.

— Des fantômes? . . . Eh bien, voilà . . . commence Barnabé sous l'oeil moqueur d'Alexis. Des fantômes . . . Euh!

— Couic! Ça apparaît! Et pfuitt! Ça disparaît! explique Alexis en deux mots.

— Comme moi! s'exclame le dragon en riant.

— Hé, là! s'écrie Alexis. Tu ne vas pas disparaître encore une fois? Il est grandement temps que tu retournes dans ta falaise, gentil dragon!

— J'ai déjà dit que je ne retournerais pas dans ce rocher. Je ne suis pas un bateau fantôme, moi! s'entête le dragon.

— Et moi, j'en ai assez de jouer les gardiens de dragon! répond Alexis. Je rentre chez moi. Finie la course! Tu peux courir dans tout le Québec, si tu veux, je ne m'en mêle plus!

— Qu'est-ce que le Québec? demande le dragon, curieux.

— Pourquoi poses-tu toujours des questions? s'énerve Alexis.

— Parce que . . . répond le dragon, boudeur.

Barnabé, qui n'a rien dit jusque-là, fait signe au dragon.

— Approche un peu, grosse bête! lui ordonne-t-il d'une voix douce.

— Je t'écoute, gentille petite créature à poil roux.

— Puisque tu ne veux pas rentrer, où comptes-tu aller? demande Barnabé.

— Je veux devenir une vedette! affirme le dragon.

— Ha, ha, ha! Une vedette! s'exclame Alexis. Il est complètement fou ce dragon!

— Mais . . . Alexis! intervient Barnabé.

— Il n'y a pas de mais . . .! Ce dragon fossile a perdu le peu de tête qu'il avait! Je suis un pêcheur, j'aurai une famille dans quelques jours et je ne serai pas complice d'un dragon-vedette! On rentre, Barnabé!

— Puisque c'est comme ça, je m'en vais! grogne le dragon, vexé. Je me ferai des amis ailleurs. Adieu!

Il plonge dans une gerbe d'eau bouillonnante et nage vers le large en faisant claquer sa queue de colère.

— Oh! fait tristement Barnabé.

— Je suis désolé, Barnabé! murmure Alexis.

— Tu as sans doute raison . . . dit Barnabé, le coeur gros.

Ils rentrent donc à Percé rapidement et sans incident. Barnabé regarde la mer éclairée par la lune, espérant y voir la grande silhouette de son ami, mais Misha s'est évanoui dans la nuit.

Lorsque, plus tard, les deux copains accostent à Percé, Alexis propose:

— Viens dormir à la maison! Nous raconterons à Rosalie notre aventure chez les fantômes!

Barnabé suit Alexis en silence. Alexis marche vite. À deux pas de sa maison, il s'étonne de voir les fenêtres de la cuisine éclairées à cette heure de la nuit.

— Rosalie doit être inquiète! dit-il à Barnabé. Nous avons bien fait d'abandonner la poursuite.

Il s'élance, grimpe l'escalier d'un bond et ouvre la porte toute grande. Autour de la table de cuisine, il reconnaît monsieur Bienvenu, le médecin et madame Blanche, leur voisine et amie. Barnabé s'étire le cou derrière Alexis et souffle à l'oreille de ce dernier:

— Qu'est-ce qui se passe?

— Mais . . . c'est . . . c'est le bébé! hurle de joie Alexis, qui vient de comprendre. Bonsoir la compagnie!

— Bonsoir, Alexis! Salut, Barnabé!

Chacun les salue en souriant malicieusement.

— Rosalie t'espère! dit monsieur Bienvenu avec un clin d'oeil.

Alexis monte l'escalier qui mène à l'étage des chambres. Marchant sur la pointe des pieds, il pousse la porte de la chambre de Rosalie, passe la tête dans l'embrasure et voit que sa femme dort. Une petite lampe éclaire la chambre. Près du lit, il remarque deux berceaux. Alexis approche en ouvrant des yeux étonnés. Il se penche au-dessus des petits lits et se met à compter les têtes rondes:

— Un . . . deux . . . trois . . . et quatre!!!

Alexis, le pêcheur, le dégourdi, le chasseur de dragon qui n'a peur ni des fantômes, ni des pirates, Alexis, devant ses quatre bébés, devient tout blanc, ouvre la bouche et tombe à la renverse. Entendant un bruit de chute, le médecin et Barnabé se précipitent dans l'escalier en riant. Ils trouvent Alexis dans les pommes, les bébés hurlant et Rosalie à moitié réveillée.

— Quel tintamarre! dit le médecin.

— Eh bien, mon Alexis! rit Barnabé.

Il secoue son ami pour le faire revenir à lui. Alexis ouvre les yeux et se relève. Approchant du lit de Rosalie, il rougit comme un écolier pris en faute:

— Ben . . . là, Rosalie, tu m'as bien eu!

— Le voilà, ton *trésor!* sourit Rosalie en montrant les berceaux.

94

— Tu es sûre que je n'ai pas la berlue? s'exclame Barnabé en regardant les bébés.

— Pour cette fois, tu n'as pas la berlue! le taquine Rosalie.

— Mais dites-moi, les aventuriers, qu'avez-vous fait de votre dragon?

— Nous reparlerons de tout cela demain! dit Alexis.

Il se penche sur Rosalie et lui donne un gros baiser.

— Dors bien, ma belle Rosalie! Et vous, moussaillons, au dodo, aussi! ajoute-t-il tendrement à l'adresse des quadruplés.

CHAPITRE 11

UN DRA...DRA...GON!

La nuit s'achève. La petite famille d'Alexis dort enfin. Barnabé réfléchit à toutes ses aventures. "Tout ça, pour un trésor qu'on n'a même pas trouvé! Qu'arrivera-t-il à ce dragon farfelu? Où est-il allé?" Finalement, le sommeil l'emporte au pays des rêves.

Mais pendant ce temps, dans la baie de Percé, Misha le dragon vient de surgir à deux pas du Rocher Percé. Il a décidé de rencontrer Rocher-Percé, le monstre-vedette.

Il s'en approche et l'examine avec curiosité.

— Salut, Rocher Percé! grogne-t-il aimablement.

Pas de réponse! Intrigué, Misha s'approche de plus près et se met à renifler ce monstre mystérieux. Il sent la pierre de calcaire à plein nez de dragon! Misha pousse alors l'audace jusqu'à lui envoyer un bon coup de queue. Il ne réussit qu'à faire dégringoler quelques pierres. Misha comprend alors que le Rocher Percé n'est pas un monstre, mais un simple rocher. On lui a fait une blague pour l'éloigner de la côte.

Le ciel commence à s'éclaircir à l'est. Sur le promontoire du Mont-Joli, un homme surgit. Le dragon s'enfonce sous l'eau. L'individu prend les jumelles qui lui pendent sur la poitrine et se met à observer la mer tout en pensant: "Je vais en avoir le coeur net! S'il y a un monstre qui rôde par ici, à cette heure tranquille, je le verrai certainement!"

Une légère brume flotte entre ciel et mer. L'aurore rosit peu à peu le ciel. Le Rocher et l'île de Bonaventure s'habillent enfin de lumière! L'homme, debout devant la mer, garde les jumelles collées à ses yeux. Tout à coup, il fait un bond en arrière. Au bout de son instrument, un monstrueux oeil doré vient d'apparaître. Il en échappe ses jumelles! Tout à côté du Rocher et presque aussi gros que lui, un monstre multicolore grogne sourdement. Sa tête ronde surmontée de cornes noires se balance dans sa direction.

— Un mon... mon... monstre! Un dra... dra... gon! Au se... se... secours! bégaie l'individu figé de terreur.

— Bon... bon... bonjour! gronde Misha.

En entendant parler ce gigantesque animal, l'homme vire au vert.

— Je ne vous fais pas peur, j'espère? demande le dragon qui s'amuse bien. Qui êtes-vous, petite créature verte?

— A... A... Al... Al-bert! murmure le grand Albert, pétrifié et hypnotisé.

Misha observe un moment cette créature tremblante et, pour se venger de la blague de ses amis Alexis et Barnabé, il change de couleur, devient verdâtre, déroule sa langue rouge. Ses yeux lancent des éclairs et il fait une terrible grimace au pauvre Albert.

Celui-ci a si peur que cette fois il retrouve l'usage de ses jambes, les prend à son cou et détale comme un lapin. Le dragon a un petit rire coquin et, retournant vers le large, il plonge et disparaît une fois de plus.

— Barnabé! Alexis! Au monstre! hurle Albert en galopant dans les rues de Percé.

Sa course affolée le mène droit à la maison d'Alexis où il s'engouffre sans frapper.

En moins d'une minute, toute la maisonnée est réveillée. Alexis se précipite dans l'escalier. Barnabé bondit de son divan. Ils surgissent dans la cuisine pour y trouver le grand Albert blanc comme un drap, essoufflé et bégayant:

— Le dra ... dra ... gon! Je ... je ... l'ai ... vuvu! Il est ... tout-tout ... vert! Ve-ve ... venez tout-tout ... de ... ssuite!

— Oh! oh! se moque Barnabé. Aurais-tu la berlue?

— Assieds-toi! lui dit calmement Alexis en lui avançant une chaise. Raconte-moi ce que tu as vu. Prends tout ton temps, j'ai le mien. Mais parle bas, sinon tu vas réveiller mes petits!

Alexis et Barnabé se tirent une chaise face à Albert qui commence à se détendre.

CHAPITRE 12

LE GRAND ALBERT S'EN MÊLE

— Ben! c'est comme je vous le dis!

Albert raconte sa rencontre avec le dragon.

— ... et, vous ne me croirez jamais, termine-t-il à bout de souffle ... mais le monstre m'a parlé!

— Eh bien, fait Barnabé, tu as la berlue encore plus que moi, Albert!

— Je n'ai jamais eu la berlue! se défend Albert. Tout le monde parle de ce monstre. Mais moi, je vous dis que le monstre parle!

— Ça c'est vrai! admet Alexis. Moi aussi je l'ai vu ton monstre, Albert! Hein, Barnabé, nous l'avons vu et entendu ce dragon?

Barnabé soupire et fait signe que oui. Albert passe de la peur à l'excitation. Il pose mille questions. Alexis s'amuse à lui raconter leurs aventures, mais sans parler du trésor. Barnabé ne dit mot. Toute l'agitation d'Albert l'inquiète.

— Vous vous rendez compte, s'exclame soudain Albert, que si nous capturons ce monstre, les gens viendront de partout pour le voir. Percé deviendra l'endroit le plus populaire du Québec. Nous serons riches!

— Tu veux mettre le dragon en cage! bondit Barnabé. Tu perds la tête?

Albert se lève et bombe le torse. Il a retrouvé sa verve:

— Percé deviendra une ville célèbre grâce à Albert et son dragon parlant! Messieurs, je vous salue et merci pour tout!

Alexis et Barnabé se regardent, ébahis. Alexis se met à rire, incrédule.

— Bonne chance, Albert!

Barnabé fronce les sourcils et murmure: "Je n'aime pas ça du tout!"

Albert sort de la maison comme une flèche. Il réfléchit aussi vite qu'il marche. "Tout d'abord, il me faut attraper le dragon et ensuite l'installer à Percé. Il faut faire beaucoup de publicité! Je vais prévenir la radio, la télévision et les journaux. Nous organiserons une grande fête. J'inviterai personnellement le Premier ministre à venir rencontrer le dragon. Je serai célèbre. Nous ferons le tour du monde, le dragon et moi!''

Albert rêve en couleur. Sa course l'amène jusqu'au poste de police. Il y fonce tête baissée.

— Horace! crie-t-il, j'ai vu le dragon!

— Ah, bon! dit le chef Horace tranquillement. Tu es le centième qui m'annonce cette nouvelle depuis deux jours. Je suppose que tu vas aussi me dire qu'il est multicolore avec des cornes . . . non?

— Tu as raison! Mais moi, j'ai une nouvelle fantastique au sujet de ce dragon.

— Il parle? demande Horace en se moquant.

— Comment le sais-tu? dit Albert, frappé de stupeur.

— Ah non, Albert! Ce n'est pas le moment de faire des blagues! s'écrie le chef en voyant la tête ahurie d'Albert.

— Je t'assure que je n'ai pas envie de blaguer, moi! dit Albert. Ce dragon parle, je l'ai entendu, mais écoute-moi . . .

Albert raconte sa rencontre avec le dragon Misha et sa conversation avec Alexis et Barnabé.

— Il faut capturer ce dragon! Il risque d'affoler la population et pire encore . . .! conclut Albert en cachant ses vrais motifs pour capturer le dragon.

Horace le regarde, bouche bée. Le téléphone sonne. Le chef répond.

— Oui, oui. Non! Oui, on s'en occupe. Non, ne vous inquiétez pas!

Il raccroche.

— J'en ai assez de ces histoires de dragon, mais de là à capturer une bête grosse comme une montagne! Tu exagères, Albert. Ce qu'il faudrait, c'est de la prendre en chasse et la mettre en fuite, ou bien s'en débarrasser.

— Tu n'y penses pas! proteste Albert. Nous allons demander de l'aide. Allons à Gaspé! C'est aussi l'affaire des gens du village. C'est notre dragon après tout, nous devons le garder chez nous!

L'index sur le front, Horace ajoute:

— Tu dérailles, mon pauvre Albert! Mais allons à Gaspé tout de même!

CHAPITRE 13

LE PIÈGE

De Gaspé à Percé, on organise une grande chasse au dragon. L'idée d'Albert a fait son chemin. Les journalistes s'emparent de la nouvelle. La province est mise au courant de la présence d'un monstre gigantesque se promenant le long des côtes de la péninsule gaspésienne. Les pêcheurs commencent à craindre pour leur pêche. Commerçants et hôteliers se frottent les mains de satisfaction. Les touristes vont envahir la Gaspésie pour voir le dragon. Les parents ne laissent plus les enfants jouer sur les plages. Il court toutes sortes de rumeurs sur la férocité de ce pauvre gentil Misha.

Albert est partout, parle beaucoup, se fait photographier. Il raconte que c'est lui qui a découvert ce fabuleux dragon. Il demande même l'aide de l'armée pour capturer *son* dragon.

Les gens de la baie des Chaleurs, apprenant que le dragon a dormi chez eux pendant des siècles, exigent le retour du dragon à Miguasha. Ils délèguent un certain Paulo Caraquette dont la mission est de réinstaller Misha à Miguasha.

Les deux hommes, Albert et Paulo, s'affrontent dans une émission de télévision. S'ensuit un débat passionné autour du droit de propriété sur le dragon. C'est un spectacle inoubliable. Alexis et Rosalie rient aux larmes. Barnabé rage. Mais le plus drôle de l'histoire est que depuis le début de cette grande publicité autour du monstre, personne ne le voit plus. Le dragon est devenu invisible, introuvable. Albert s'énerve d'autant que certaines mauvaises langues commencent à chuchoter . . . Albert-la-berlue!

Pourtant, un beau matin, de très bonne heure, alors que le grand Albert surveille la mer comme d'habitude, il aperçoit une montagne d'eau qui s'avance dans la baie du sud. Un grand rire tonne à ses oreilles.

— Ah! ah! Oh! oh! les petites créatures! Êtes-vous toujours là?

— Hou! Hou! crie Albert, dominant sa crainte de la bête, salut Misha! Me reconnais-tu? Je suis Albert!

Le dragon s'approche et se penche.

— Ho! Hi! hi! Bon . . . bon . . . jour! ricane le dragon.

Albert rougit.

— C'est drôle! remarque le dragon, l'autre matin tu étais vert, petite créature changeante.

— Tu as raison, dit Albert en reprenant son aplomb, je suis très changeant! Mais je suis encore plus heureux de te revoir. Tout le monde t'attend avec impatience. On vient de partout pour te voir! On veut te photographier, tu es devenu une vedette!

— Oh! oh! s'écrie le dragon, une vedette! Wouaou! une vraie vedette? Tu ne me fais pas une blague, petite créature malicieuse?

— Foi d'Albert! Tu es une vraie vedette!

— Comme le Rocher Percé? interroge le dragon.

— Bien plus que le Rocher Percé! À côté de toi, le rocher Percé n'est qu'un petit tas de pierres sans intérêt. Tu es la plus grande vedette du Québec!

— . . . Québec! . . . J'ai déjà entendu ça quelque part! dit le dragon. Mais dis-moi, petite créature, où sont mes amis Alexis et Barnabé?

— À la pêche, sans doute, répond Albert. Mais laisse donc, dragon! Si tu es une vedette, c'est grâce au grand Albert. Tu dois m'écouter!

— Que dois-je faire? dit le dragon, impressionné.

— Premièrement, tu ne t'enfuis plus. Tu restes ici dans la baie de Percé. Nous allons t'organiser une grande fête! Nous te construirons une belle cage et tu seras le plus heureux des dragons!

— Qu'est-ce qu'une cage? demande Misha, toujours curieux.

— Bon . . . continue Albert, ignorant la question du dragon, je vais m'occuper de tout. Sois bien sage, grande vedette!

Le dragon ravi scintille de toutes ses écailles. Il se pavane! Albert se précipite chez son ami Horace.

— Il est revenu, il est là mon dragon! Il faut prévenir tout le monde, organiser une fête avec journalistes, télévision et Premier ministre! Il faut engager des hommes pour construire une cage.

— Oh! là! s'écrie Horace, une minute! Je peux le voir ton dragon, Albert?

— Viens, mais viens dehors! Il est là, devant Percé!

Dehors on entend des cris, des hurlements. Horace se précipite dans la rue. Les gens courent dans tous les sens, c'est la panique! Le chef de police aperçoit alors l'immense bête qui se fait admirer entre le Rocher et l'île!

111

— Ben! ça alors! s'exclame-t-il. Albert, tu as raison. Il faut faire quelque chose.

Il envoie un message radio à Gaspé:

— Dragon retrouvé. Se trouve dans la baie sud de Percé. Demandons renfort.

Quelques minutes plus tard, deux hélicoptères décollent de Gaspé, des dizaines de bateaux reprennent la mer, venant de tous les coins de la côte gaspésienne. La nouvelle se répand comme une traînée de poudre.

Albert retourne sur le Cap et appelle le dragon.

— Misha! Misha! hurle-t-il.

— Ne crie pas comme ça! répond gentiment le dragon en s'approchant de la falaise, j'ai l'oreille fine! Que veux-tu, petite créature faiseuse de vedettes?

— Monter sur ta tête. afin que les gens sachent combien tu es un gentil dragon! répond Albert.

Misha descend sa grosse tête ronde à deux pas du grand Albert, qui sent un frisson lui parcourir le dos. "Décidément, ce qu'il ne faut pas faire pour arriver à la gloire!" se dit-il. Il grimpe entre les deux cornes de la bête, qui redresse son long cou entre ciel et mer. "Mon Dieu, que c'est haut!"

pense Albert. Il prend son courage à deux mains et ordonne au dragon:

— Allons faire un petit tour de l'île!

— En avant! grogne le dragon.

La foule sur le quai peut voir l'énorme monstre obéir docilement au grand Albert. Lorsque la télévision, les hélicoptères et un renfort policier arrivent sur les lieux, c'est déjà la fête! Albert installe son dragon au milieu de la baie. Il est aussitôt entouré de bateaux. On apporte du poisson pour nourrir le dragon, à la grande joie des enfants. Sur la tête de Misha, Albert trône comme le dieu de la Mer! Les hélicoptères bourdonnent autour d'eux comme des guêpes. Sur le quai, un journaliste s'égosille pour la télévision:

— Mesdames et messieurs! Le spectacle que nous avons sous les yeux est unique! C'est un moment extraordinaire! Nous avons la preuve que les monstres marins existent. C'est le Québec qui vous offre cette première mondiale! Nous avons notre monstre! Il est magnifique! Il est apprivoisé et son maître est le grand Albert de Percé. Saluons donc le dragon Misha! Le grand Misha qui fera de la Gaspésie le plus grand centre touristique du monde!

Déjà on manipule les longues tiges de métal servant à la construction de la cage du dragon. Le piège se referme peu à peu sur Misha . . . et celui-ci,

113

inconscient du danger, joue à la vedette au milieu de la baie!

CHAPITRE 14

BARNABÉ SE FÂCHE

Lorsque Barnabé, qui a accompagné Alexis à la pêche, rentre à la nuit tombante, il trouve la baie et le village transformés en véritable cirque! Au milieu de cette foule, de ce vacarme, assourdi par la musique et gavé de morues, le pauvre gentil dragon en a presque perdu ses couleurs.

— Ah! s'écrie Barnabé. Trop c'est trop! Cette fois, il faut arrêter toutes ces folies et remettre le dragon en liberté.

Les bateaux de pêcheurs ont peine à se frayer un chemin à travers les yachts, les chaloupes, les embarcations de toutes sortes. Le quai est encombré par les caméras, les journalistes, la multitude de badauds.

Barnabé est si en colère que son ami Alexis juge plus prudent de l'amener chez lui. Rosalie saura le calmer. Celle-ci écoute Barnabé et trouve les mots pour l'amadouer. C'est alors que Barnabé jette un oeil à la télévision et aperçoit Albert trônant sur la tête du dragon. Le commentateur vante un homme si courageux et explique que bientôt on mettra le dragon dans une énorme cage afin d'assurer sa sécurité et celle des gens du pays.

— Ça, jamais! hurle Barnabé, et il part en claquant la porte.

Il rentre chez lui et s'enferme à double tour. "Je n'aurais jamais dû quitter Misha! se dit-il. Je vais attendre la nuit et je vais le délivrer! Foi de Barnabé la Berlue, on ne mettra pas ce dragon en cage!"

La fête dure tard dans la nuit. On a allumé des projecteurs pour éclairer le dragon. Albert est descendu de son perchoir et parade dans Percé, pendant que le dragon se repose gentiment dans la baie.

Le clou de la soirée est un magnifique feu d'artifice qu'on tire au-dessus de la tête du dragon. Misha n'en peut plus de tout ce bruit, de cette lumière, et il a mal au coeur d'avoir trop mangé n'importe quoi. Ses belles écailles sont toutes ternies. Il voudrait plonger dans les vagues du large, dormir entre deux eaux pour rafraîchir ses écailles, mais il est une vedette et n'ose quitter la baie. Albert a dit: "Si tu t'en vas encore, plus personne ne s'intéressera à toi!"

Lorsqu'enfin, les lumières des projecteurs s'éteignent et que les pétards arrêtent d'exploser, le dragon fait: "Ouf! c'est fatigant d'être une vedette!" Il se rappelle alors qu'il n'a pas revu les petites créatures Barnabé et Alexis. "Peut-être ne savent-ils pas que je suis devenu plus important que le Rocher Percé!"

Barnabé, à ce moment-là, jette un coup d'oeil à l'extérieur. Il voit que tout est calme. Percé a retrouvé sa tranquillité, au moins pour la nuit. Il prend alors un baluchon avec quelques affaires et quitte la maison. Il marche vite. Il se rend jusqu'à l'observatoire de Mont-Joli. L'énorme silhouette du dragon emplit le ciel. Barnabé siffle doucement. Le dragon répond par un sifflement léger. Barnabé recommence. Le dragon se rapproche de la côte.

— Misha! Misha! fait Barnabé.

Le dragon balance son long cou vers Barnabé. Ses yeux brillent dans la nuit.

— Ho! Ho! Mais c'est la petite créature rousse! Je suis une vedette, maintenant! se vante Misha.

— Oui, je sais! grogne Barnabé. Mais laisse-moi monter sur ta tête. J'ai une ou deux choses à t'apprendre, gros bêta!

— Ce qu'il est gentil! murmure le dragon. Je t'écoute, petite créature.

— Allons faire un tour au large!

— Je voudrais bien, mais je ne peux pas. Je suis maintenant une vedette. On va me donner une belle cage!

— Qu'est-ce qu'une cage, hein, grosse bête?

— Ben . . . je . . . je ne sais pas . . . !

— Une cage, mon ami, c'est une falaise avec des barreaux! C'est une prison. Plus de mer, plus de ciel, plus de soleil! Finie la liberté! Quand on t'aura assez vu, on ne viendra plus te voir. Tu resteras tout seul!

— GRRR! GRRR! rugit le dragon en colère.

— Chut! fait Barnabé. Je suis revenu pour te dire la vérité. Il faut que tu t'enfuies! J'ai une proposition à te faire.

Barnabé se penche à l'oreille du dragon:

— Bzzz . . . Bzzzz!

— Ho! Ho! Hé, bravo! Formidable! Nous partons tout de suite!

— Doucement, Misha, doucement!

Le dragon se glisse dans l'eau et file vers l'île. Il

respire le grand air du large. Il rafraîchit ses écailles toutes séchées par le soleil. Dans son sillage, il y a comme un rire de liberté retrouvée.

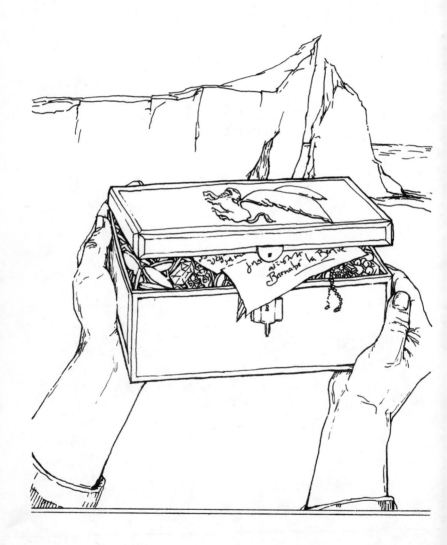

CHAPITRE 15

PARTONS, LA MER EST BELLE!

Dans la nuit, Misha le dragon et son ami Barnabé se dirigent vers la baie des Chaleurs. Ils se livrent là-bas à des activités mystérieuses. Puis les deux amis reprennent la mer. Barnabé tient un petit coffret sous son bas. Ils rentrent à Percé. Le dragon dépose Barnabé quelques minutes sur le quai. Le jeune homme saute dans le bateau d'Alexis et s'y attarde un instant. Près du quai, le dragon s'inquiète.

— Dépêche-toi, petite créature!

— Fais-moi plaisir, dragon Misha, appelle-moi Barnabé, tu veux?

— Avec plaisir, petit Barnabé! Nous partons?

Ils reprennent la mer et tournent le dos à la côte sans regret. Barnabé se met à chanter à tue-tête:

— Partons, la mer est belle
   Embarquons-nous, pêcheurs . . .

Le reste de la chanson se perd dans le vent du matin.

Pas besoin de dire que la disparition du dragon cause bien des remous. Le grand Albert en tombe malade de dépit. Les gens de Percé voient leur village se vider de la foule de curieux. Alexis se rend chez Barnabé et, trouvant la maison vide, s'inquiète. "Où sont-ils allés, ces deux-là?" se demande-t-il. Il décide d'aller faire un tour en mer à leur recherche.

Il saute dans son bateau, lorsqu'il découvre sur un banc un petit coffret de métal. Intrigué, il le prend et l'examine. Un animal bizarre est sculpté sur l'épais couvercle. La bête a un corps de lion, une tête et des ailes d'aigle, des oreilles de cheval et des nageoires de poisson.

— Qu'est-ce que c'est? dit Alexis à voix haute.

Il tourne et retourne le coffre dans ses grosses mains. Il n'ose pas l'ouvrir. Finalement, il soulève lentement le couvercle comme si un petit diable allait en sortir.

— Oh! fait-il avec surprise et admiration.

Dans le coffret, des perles et des pièces d'or brillent de mille feux.

— Barnabé! murmure Alexis. Il est retourné chercher le trésor du corsaire!

Il palpe timidement les bijoux et les pièces d'or et remarque un billet plié en quatre parmi les perles chatoyantes. Il le déplie et le lit à voix basse:

Cher Alexis,

J'ai libéré le dragon. Nous sommes retournés à Miguasha et grâce à Misha j'ai pu retrouver le trésor. Le plan du corsaire disait vrai: le "griffon chatouilleux" est la bête que tu peux admirer sur le couvercle du coffret. C'est un animal fabuleux de l'antiquité. Ce que le corsaire ne savait pas, c'est que la falaise cachait *deux* griffons chatouilleux! Hi! Hi!

Le dragon et moi sommes partis en voyage. Nous ferons le tour des sept mers de la planète. Un jour, je reviendrai raconter à tes quatre moussaillons nos aventures autour du monde. Vive la liberté! Embrasse Rosalie qui nous a si bien compris.

Ton ami Barnabé la Berlue

P.S. Dis au grand Albert qu'on ne met pas les dragons en cage! Jamais!

— Bravo! sacré Barnabé! pouffe de rire Alexis.

Il saute de son bateau et court comme un fou, son trésor sous le bras, vers Rosalie qui, le nez à la fenêtre, le regarde venir en souriant tendrement.

TABLE DES MATIÈRES

Chère lectrice,

Cher lecteur,

Bienvenue dans le club des enthousiastes de la collection **Pour lire avec toi**. Si tu as aimé l'histoire que tu viens de lire, tu auras certainement envie d'en découvrir d'autres. Pour te mettre en appétit, voici des extraits de quelques romans de la même collection.

Je te rappelle que le nombre de petits coeurs augmente avec la difficulté du texte.

♥ : facile

♥♥ : moyen

♥♥♥ : plus difficile

Grâce aux petits coeurs, quel que soit ton âge, tu pourras choisir tes livres selon tes goûts et tes aptitudes à la lecture.

Les auteurs et les illustrateurs de la collection **Pour lire avec toi** seraient heureux de connaître tes opinions concernant leurs histoires et leurs dessins. Écris-nous à l'adresse au bas de la page.

Bonne lecture!

La directrice de la collection,

Henriette Major

Henriette Major

Éditions Héritage Inc.
300, avenue Arran
Saint-Lambert (Québec)
J4R 1K5

La Sorcière
et la princesse ♥♥

par Henriette Major

Sophie à l'école

7 octobre

Cette année, je ne vais pas à mon ancienne école parce que j'ai déménagé. Je vais à ma nouvelle école. Je l'aime moins que mon ancienne parce que ma nouvelle, elle est trop grande et il y a trop de monde dedans.

Comme de raison, je n'ai pas mon ancienne maîtresse de l'an dernier, Bernadette qu'elle s'appelait. Si j'allais à mon ancienne école, je n'aurais pas Bernadette comme maîtresse non plus, vu que j'ai monté de classe, mais je pourrais lui parler pendant les récréations et aller la voir après la classe et même lui porter ses livres jusqu'à son auto. Mais je ne peux même pas l'apercevoir de loin parce que mon ancienne école est dans un autre quartier.

Cette année, ma maîtresse d'école, c'est un maître. Il s'appelle Hervé. Il a des lunettes et il est grand et maigre. Ma mère dit :

— Dis plutôt qu'il est mince : c'est plus poli.

Il est maigre pareil. Derrière ses lunettes, ses yeux sont tout flous. Ça fait que tu n'es jamais sûre si c'est bien toi qu'il regarde. Il n'a pas des beaux yeux verts comme Bernadette : il a des yeux gris sale. Il n'a pas des beaux cheveux roux et fous comme ceux de Bernadette. Il a des cheveux châtains tout raides. Hervé, il nous appelle «les amis», même si on n'est pas ses amis. Bernadette, elle nous appelait «les élèves», mais on était ses amis. Peut-être que je pourrais lui téléphoner, à Bernadette… mais je n'ai pas son numéro de téléphone. Peut-être que je pourrais lui écrire… mais j'ai peur de faire des fautes.

Ce matin, quand la cloche de l'école a sonné, je me suis mise en rang avec ma classe. Je voulais faire comprendre à Lucie et à Éric dans l'autre rangée qu'il fallait se retrouver à la récréation : alors, j'ai fait le signe de reconnaissance de la bande.

— Sophie ! Qu'est-ce que c'est que ces grimaces ? a dit Hervé. Va te placer à la queue.

J'ai essayé de lui expliquer que c'était pas des grimaces, mais il ne m'a pas laissée parler. Bernadette, elle, elle m'aurait laissée parler.

Sophie et le monstre aux grands pieds ♥♥

par Henriette Major

CHAPITRE 7

Les traces du monstre

Le lundi matin, j'avais rendez-vous avec Antoine sur les pentes du Mont-Royal pour préparer la course au trésor. J'ai invité ma grand-mère à nous accompagner. Elle a déclaré :

— J'aurais bien aimé te donner un coup de main, mais Adrien doit venir réparer la machine à laver ce matin. Je ne peux pas m'absenter.

Je suis donc partie seule pour rejoindre Antoine. Il avait neigé durant la nuit. Antoine et moi, on était contents, on pourrait creuser dans la neige pour y placer nos indices. On aurait pu les cacher le long de la route déblayée qui mène au sommet, mais c'était trop facile. On a plutôt décidé de suivre la piste de ski de fond et de raquette qui passe à travers les arbres. On n'avançait pas très vite car, à certains endroits, on enfonçait dans la neige jusqu'aux genoux.

Au début, le terrain était assez plat. On suivait de près les marques de skis et de raquettes. On avait déjà caché deux indices quand tout à coup, Antoine s'est écrié :

— Hé ! Sophie ! Viens ici ! Je vois quelque chose de bizarre !

Je me suis approchée et j'ai aperçu des traces ovales ; elles avaient à peu près la forme d'un pied, d'un très grand pied avec des petits creux à la place des orteils et du talon. Antoine et moi, on a d'abord été muets de surprise.

— Qui a bien pu laisser des traces pareilles ?... a murmuré Antoine. Ça ne ressemble à rien que je connais.

— Je sais! ai-je affirmé, très excitée: c'est l'Abominable Homme des Neiges!

— Qu'est-ce que tu racontes? a répondu Antoine. Comment un homme peut-il être beau et minable en même temps?

— Tu chercheras le mot abominable au dictionnaire, espèce d'abominable ignorant. L'Abominable Homme des Neiges, c'est un géant poilu qui vit dans les montagnes et qui laisse des traces dans la neige avec ses grands pieds nus. J'ai lu ça dans un livre sur les monstres.

Le pays
du papier peint ♥♥

par Vincent Lauzon

CHAPITRE 3
Le Chevalier solitaire

Ce soir-là, au milieu d'une grande clairière bordée de cèdres parfumés, Marie-Aude mangeait des guimauves grillées en compagnie de la licorne zébrée et du dragon aux yeux dorés, celui-là même qui l'avait tant effrayée lors de sa première visite. Ce dragon n'était pas n'importe quel dragon, comme il se plaisait à le faire remarquer le plus souvent possible : il venait d'une très vieille, très grande et très noble famille de dragons et il en était plutôt fier. Il s'appelait Isidore de la Flammèche.

Isidore était couché nonchalamment dans les fougères et à chaque expiration, ses narines laissaient échapper d'écarlates éclats enflammés qui montaient en crépitant dans le ciel nocturne. Marie-Aude et la licorne n'avaient qu'à tenir leurs guimauves au-dessus du nez du dragon et, en quelques secondes, les friandises devenaient délicieusement dorées. La petite fille utilisait une longue branche de chêne alors que la licorne installait carrément ses guimauves au bout de sa corne. L'air doux et léger ainsi que la lumière tamisée de la lune de papier peint rendaient l'atmosphère merveilleusement calme et agréable.

— Hé, Marie-Aude, dit Isidore en bâillant un peu, cela fait trois guimauves que tu manges sans m'en donner une seule. C'est pas juste : c'est tout de même moi qui les prépare, vos guimauves, non ?

La petite fille se mit à rire et donna une guimauve au dragon bougonneur. Isidore l'engloutit d'une seule bouchée et se lécha les babines, découvrant un instant ses crocs féroces. Marie-Aude frissonna. Elle était bien contente qu'Isidore soit son copain : avec des dents pareilles, elle n'aurait pas voulu l'avoir pour ennemi.

— Dis donc, Isidore, demanda-t-elle entre deux bouchées, je n'ai pas encore rencontré ton copain le Chevalier. Il m'intrigue. Crois-tu que l'on pourrait lui rendre visite ce soir ?

Le dragon parut réfléchir un moment.

— Bien sûr, déclara-t-il enfin. Cela te plairait, licorne ?

La licorne hennit et s'ébroua.

— Moi, je vous suis, dit-elle avec une trace de tristesse dans la voix. Vous êtes mes seuls amis... les autres licornes ne m'ont pas encore adressé la parole à cause de... de... oh, vous savez bien...

La chasse au trésor ♥♥

par Mario Audet

CHAPITRE 4
Le troisième message

La montée en funiculaire se fait sans histoires. Arrivées sur la terrasse Dufferin, Isabelle et Catherine relisent la dernière partie du message :

Là, un ange jouant de la trompette
Vous invitera à monter dans sa barque.

Il leur est très facile de repérer l'ange du message. Il se trouve au pied de la statue de Samuel de Champlain qui tourne le dos à la sortie du funiculaire. L'ange trompettiste se tient debout dans sa barque de bronze. Catherine escalade le socle de la statue jusqu'à la hauteur de la barque. Là, elle découvre un autre message qu'elle exhibe victorieusement. D'un seul bond, elle saute en bas, anxieuse de connaître la suite de l'aventure. Le message dit :

Bravo, vous êtes très habiles ! Cependant, vous n'êtes pas au bout de vos peines. Il vous reste un autre message à découvrir avant de franchir la prochaine étape, la plus décisive.

Rendez-vous au séminaire de Québec en passant par la rue où les murs sont décorés de peintures. C'est le plus beau et le plus court chemin.

Là, vous entrerez par la porte qui s'ouvre sur l'endroit rempli d'objets du passé appartenant aux Beaux-Arts, aux Sciences et aux Lettres.

Montez 65 marches et allez rendre visite à celui qui dort depuis plus de 3 000 ans. À vingt-cinq pas de là, vous trouverez trois statues d'or. Elles ont un message pour vous, caché derrière leur autel.

Mais attention! MÉFIEZ-VOUS DE L'OEIL SONORE.

Ouf! voilà un message qui en dit bien long et qui, en même temps, crée bien du mystère. Le premier réflexe des deux gamines est de demander de l'aide à Mario, mais rapidement elles jugent que ça ne vaut pas la peine de perdre de précieux points de chance. Elles connaissent bien les environs. Elles se dirigent donc allègrement vers la rue du Trésor, celle où les murs des maisons sont tapissés d'oeuvres d'art.

Sans ralentir leur allure, elles regardent les dessins et les tableaux qui font la convoitise des touristes en quête d'un élégant souvenir du Vieux-Québec. Bientôt, le trio se retrouve face à la basilique Notre-Dame adossée au séminaire de Québec.

Le petit chien perdu ♥

par Jacques Trudel

CHAPITRE 3
À la recherche de Polux

Après une bonne nuit de sommeil, Yanik et Stéphane se lèvent très tôt : leur enquête ne peut attendre. Ils avalent rapidement leur petit déjeuner. Leur mère les regarde d'un air étonné.

— Vous êtes bien pressés ce matin ?

— On a un travail important à faire ! répond Yanik.

— Un travail ?

— Oui, un travail de détective !

— Et d'assistant-détective ! ajoute Stéphane.

— Ah oui ?

— Il faut retrouver le chien d'Éveline Latour, explique Yanik. Il a disparu.

— Je vous souhaite bonne chance !

Yanik termine son repas. Il va ensuite chercher son sac à dos et y glisse ses instruments de travail : un carnet de notes, un crayon et une petite loupe. Ça peut toujours servir !

— Tu viens, Stéphane ? ordonne-t-il.

Stéphane court prendre son sac, presque identique. Il le bourre de provisions : trois pommes, une banane et, en cas d'urgence, un petit gâteau au caramel. Yanik et Séphane sont enfin prêts à commencer leur enquête.

— Où allons-nous ? demande ce dernier.

La veille, avant de s'endormir, Yanik a préparé un plan. La première chose à faire est d'aller questionner Éveline Latour. Il faut savoir exactement comment son chien a disparu.

— On va chez Éveline.

Stéphane s'inquiète un peu.

— Elle ne nous a pas demandé de retrouver Polux...

Yanik marche d'un pas rapide.

— Elle sera contente qu'on s'en occupe. Après tout, on est les meilleurs détectives du quartier!

Stéphane est rassuré.

— C'est vrai. On est les meilleurs. On est aussi les seuls, hein, Yanik?

— Ouais...

— En tout cas, on a une cabane avec une affiche.

Yanik marche toujours aussi vite. Il écoute distraitement son assistant.

— Et puis, on a nos casquettes. Elle sera bien obligée de nous prendre au sérieux!

Stéphane trouve que Yanik a parfaitement raison.

— Je suis content d'être ton assistant, Yanik!

Yanik s'arrête net.

— Appelle-moi «inspecteur»! Inspecteur Yanik.

Les mémoires
d'une sorcière ♥♥♥

par Suzanne Julien

CHAPITRE 1
La naissance d'une sorcière

Cette nuit-là, il pleuvait. Il pleuvait très, très fort. On aurait dit que de méchants petits elfes s'amusaient à lancer des cailloux sur les toits des maisons. Le bruit assourdissant de la pluie avait fait fuir tous les êtres vivants, hommes ou bêtes, au fond de leur demeure.

De loin, on pouvait entendre le tonnerre et apercevoir les lueurs des éclairs. L'orage se rapprochait. Quel beau temps, il faisait cette nuit-là! C'était vraiment un temps idéal pour l'arrivée d'une nouvelle petite sorcière.

— C'est de bon augure, déclara ma grand-tante, la méchante fée Esméralda.

Elle était ravie de pouvoir assister à ma naissance. Mon père, l'enchanteur Malin, récitait des incantations pour qu'en naissant je possède toutes les qualités d'une sorcière: méchante, laide et égoïste. Ma mère, la fée Malice, avait surtout hâte que ce soit fini...

J'accomplis alors ma première mauvaise action: faire attendre ma mère, mon père et ma grand-tante toute la nuit. Au moment où, lassés d'attendre, ils s'installaient pour dormir, je me décidai à naître.

Je pris tout le monde par surprise: Esméralda préparait son lit, mon père rangeait ses grimoires en bâillant et ma mère ronflait déjà! Je poussai alors d'horribles cris, étouffés par le grondement du tonnerre. Longtemps, j'ai cru que c'était moi qui avais causé ce tintamarre. Mais en tentant de recommencer par la suite, je dus me rendre à l'évidence : je n'étais pour rien dans le fracas de l'orage.

Mon arrivée passa donc inaperçue. Je fis alors comme tous les bébés naissants : je pleurai et hurlai sans arrêt. Et juste au moment où j'allais me pâmer, tout le monde se précipita sur moi.

— Il faut l'emmailloter, disait ma mère.

— Il faut lui réciter des formules magiques, lançait mon père.

— Je veux lui faire cadeau de mes incantations les plus maléfiques, s'exclamait ma grand-tante.

À vouloir me caresser tous en même temps, ils me brassaient, me tiraillaient, m'écartelaient. Je compris alors que je n'étais pas tombée dans une famille ordinaire. Leurs touchantes marques d'affection durèrent jusqu'au petit matin. Quand le soleil se leva, mon père déclara :

— Il faut lui choisir un nom.

Le monstre
de poussière ♥

par Richard Riewer, adaptation Henriette Major

CHAPITRE 1
Un monstre sous le lit

C'est l'heure de se coucher. Laurent jette un coup d'oeil prudent dans sa chambre. Rien ne bouge. Pas un bruit. Il se glisse jusqu'à son lit tout propre aux couvertures bien tirées : Ted l'ourson, les yeux brillants, est assis sur l'oreiller, prêt à se coucher lui aussi. Laurent met son pyjama et s'assoit près de Ted pour l'embrasser et lui souhaiter bonne nuit. Tout à coup, il entend un bruit étrange venant de dessous le lit, comme le murmure des feuilles dans le vent. Le bruissement devient de plus en plus fort. En même temps, des flocons de poussière roulent sur le parquet. Laurent se penche et soulève doucement le couvre-lit. Il aperçoit deux yeux pâles qui brillent dans le noir.

— Hum… excuse-moi, je n'ai fait qu'éternuer, dit une voix enrouée sous le lit. Je ne voulais pas te déranger…

— Il y a un monstre là sous mon lit ! murmure Laurent, tout inquiet. Que vais-je faire ?

— J'espère que je ne t'ai pas fait peur, dit le monstre.

«Il a l'air gentil», pense Laurent.

«J'aimerais bien faire la connaissance de ce garçon», se dit le monstre.

Après un moment de réflexion, Laurent décide de prendre l'initiative.

— Tu devrais sortir de là, chuchote-t-il. N'aie pas peur, montre-toi. Je veux seulement te parler…

— Eh bien, puisque tu insistes, je vais venir, réplique le monstre en adoucissant la voix.

Il sort de sa cachette en rampant. Aussitôt, une épaisse poussière se répand dans la pièce, dansant dans la pâle lumière de la lune. La poussière est si épaisse que Laurent et le monstre ont peine à se voir.

— Qui es-tu? demande Laurent.

— Je suis un monstre de poussière, répond le monstre.

« Voilà qui est encore plus drôle qu'un combat d'oreillers », songe Laurent.

— Ted semble avoir disparu, dit-il à haute voix.

— Peut-être que je lui fais peur, remarque le monstre de poussière.

— Les oursons en peluche n'ont jamais peur et ils ne sont jamais tristes, assure Laurent. Ils sourient tout le temps.

ACHEVÉ   D'IMPRIMER
EN SEPTEMBRE 1988
SUR LES PRESSES DE
PAYETTE & SIMMS INC.
À SAINT-LAMBERT, P.Q.